Avantage

3

Rouge

Rosi McNab

Heinemann

Heinemann Educational,
a division of Heinemann Publishers (Oxford) Ltd,
Halley Court, Jordan Hill, Oxford OX2 8EJ

Heinemann is a registered trademark of Reed
Educational and Professional Publishing Ltd

OXFORD   MELBOURNE   AUCKLAND
JOHANNESBURG   BLANTYRE   GABORONE
IBADAN   PORTSMOUTH (NH) USA   CHICAGO

First published 1998

02 03 10 9 8 7

A catalogue record is available for this book from
the British Library on request

ISBN 0 435 37524 5

Produced by **AMR** Ltd

Illustrations by Art Construction, David Birdsall,
Josephine Blake, Janice Bocquillon,
Phillip Burrows, Jon Davis, Rosemary Murphy,
Bill Piggins, Stan Stevens

Cover photo provided by Tony Stone Images

Printed and bound in Spain by Mateu Cromo

Acknowledgements

The author and publishers would like to thank the
following for permission to reproduce copyright
material:

© **Disney** p.18 brochure; © **Mango** p.52 menu and
text extract and p.54 diary from *Louis XIV et
Versailles, Regards d'Aujourd'hui*; **Equipe Cousteau**
p.68 text 'Ma première baleine' from *Le Dauphin*
mars/avril/mai 1990; © **MCA Music France** p.73
'Quand on n'a que l'amour' (Jaques Brel);
Fédération Unie des Auberges de Jeunesse p.90
Fuaj logo.

The author would like to thank Jacques Debussy,
John Styring, Nathalie Barrabé and the pupils of
the Atelier Théâtre, Rouen, for their help in the
making of this course.

Photographs were provided by: **Barnaby's Picture
Library** p.6 C, p.81, p.87; **Campagne Campagne**
p.22 E (Huguet); **Camping l'Iserand** pp.84–5;
Chris Coggins p.46; **Epic Records** p.72; **Keith
Gibson** p.4 Céline, skateboarder, Thomas, p.6 A, B,
D, p.8, p.16 A, C, D, p.22 D, p.77 E, p.90, p.93,
p.94 train, bus; **Life File** p.30 Amboise (Emma
Lee), Blois, Chambord (Andrew Ward), p.64 (Barry
Mayes), p.77 A (Fraser Ralston), C, D (Emma Lee);
Mary Evans Picture Library p.28 François 1er,
Marie-Antoinette, Napoléon Bonaparte; **Rex
Features** p.71 (Dave Hogan), p.92 (Tim Page);
Chris Ridgers p.7, p.9, p.10, p.16 B, p.34, p.44;
Small Print p.23 top (A. Samuels), p.24 Bacary
(R. Laredo), African scenes (A. Samuels), p.94 tram
(J. Reed); **John Styring** p.22 A. Remaining
photographs are by Rosi McNab.

Every effort has been made to contact copyright
holders of material reproduced in this book. Any
omissions will be rectified in subsequent printings
if notice is given to the publishers.

Table des matières

		page
1	Toi et moi	4
2	Mon monde à moi	22
3	Bien dans ma peau	40
4	Chic alors!	58
5	En France	76
6	Tour de France	94
	Entraînement	108
	Grammaire	126
	Tableaux de conjugaison	141
	Vocabulaire français – anglais	148
	Vocabulaire anglais – français	157
	Les instructions	160

1 Toi et moi

A Céline

Salut!

J'ai quatorze ans et je suis française. J'habite à Bourg-St-Maurice, en France. J'y habite depuis huit ans. Bourg-St-Maurice est une petite ville dans les Alpes, tout près des

grandes stations de ski, Les Arcs et Tignes. J'aime y habiter, parce que c'est très joli et il y a beaucoup de choses à faire. Je suis née à Paris, mais on a déménagé quand j'avais six ans.

Mon père s'appelle Jacques Lambert. Il travaille dans une banque. Il est très sportif, il adore la montagne et faire du ski. Heureusement que ma mère est sportive, elle aussi! Elle est infirmière et elle s'appelle Janine. J'ai deux frères, Benoît

et Christophe. Ils ont dix ans et huit ans et ils sont complètement fana de foot et de skate. Ils ne font même pas de ski! J'ai aussi une demi-soeur qui s'appelle Isabelle. Elle a dix-neuf ans et elle est monitrice de ski, mais elle habite actuellement chez son père. En été, elle travaille comme guide de montagne.

Nous habitons dans un grand immeuble au centre-ville. En hiver, mes parents font du ski, mais mes copains et moi, nous faisons du surf des neiges. En été, on fait du VTT et de l'escalade ou du kayak. En hiver, il y a

beaucoup de monde ici et beaucoup d'animation, mais en été, c'est tranquille, trop tranquille même. Ce que nous aimons ici, c'est la nature et le sport, et ce que nous n'aimons pas, c'est qu'il y a beaucoup de circulation. Ça veut dire qu'il y a beaucoup de pollution, à cause des voitures et des cars qui viennent aux stations de sports d'hiver. Il n'y a pas de grands magasins, ni de bars ou de cafés pour les jeunes.

Mon petit ami s'appelle Thomas. Il habite à Paris, mais on se voit souvent, parce que sa famille a un studio aux Arcs.

Bises, Céline

Flash langue

y = *there*

It is used to translate 'there' when talking about a place already mentioned. It goes in front of the verb:
J'habite à Londres. J'aime y habiter. – *I like living there.*

depuis = *since*

J'y habite depuis deux ans. – *I have been living there for two years.*
Note how in French you use the present tense: literally, 'I am living there since two years'.

1
a Copie et remplis la fiche pour Céline. Cherche les mots inconnus dans un dictionnaire.

b Lis et écoute.

c Vrai ou faux?

1 Céline est sportive.
2 Elle habite dans un appartement.
3 Sa mère travaille à l'hôpital.
4 Céline a deux frères aînés.
5 Elle fait du ski.
6 La ville est grande.

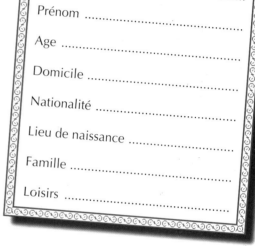

Nom ....
Prénom ....
Age ....
Domicile ....
Nationalité ....
Lieu de naissance ....
Famille ....
Loisirs ....

2 Pourquoi aime-t-elle habiter à Bourg-St-Maurice et qu'est-ce qu'elle n'aime pas?

a Fais la liste de trois avantages et de trois inconvénients.

Exemple: A Bourg-St-Maurice, il y a ...
Il n'y a pas de ...
C'est ...

b A deux: Discutez de vos listes. D'accord ou pas?

Exemple: Oui, d'accord, c'est un avantage/inconvénient.
Non, à mon avis, c'est un inconvénient/avantage.

3 Rédige un résumé.

Exemple: Céline est/a/habite/fait/joue/...
Bourg-St-Maurice est ... dans ...
Il y a ... . Il n'y a pas de ...

4 Copie la fiche.

a Ecoute et remplis la fiche pour Thomas.

b Rédige un résumé.

Exemple: Thomas a/est/...

Chez toi
Ecris une lettre à Céline ou à Thomas.

Exemple: Je suis .../J'ai .../J'habite ...
Je fais .../J'aime ...
Je n'aime pas ...

A La bande

5 a Comment s'appellent-ils?

A

B

C

D

Je m'appelle Pierre et je suis né à Amiens. J'ai treize ans. J'ai les cheveux châtains et courts. Je porte des lunettes, parce que je suis myope. Je suis assez petit et assez mince. J'habite à Lille depuis cinq ans. Lille est dans le nord de la France.

Je m'appelle Delphine. J'ai quatorze ans. J'ai les cheveux courts et blonds. Mes yeux sont marron et je ne suis pas petite! J'habite dans la région parisienne, pas loin du parc Disneyland.

J'ai les yeux marron et les cheveux bruns et courts. Je m'appelle Sylvain. J'ai quatorze ans et je suis de taille moyenne. Mon copain s'appelle Benjamin. Il est roux et assez grand. Il est marrant. Moi, je suis le plus sportif. Nous habitons à St-Etienne.

Nous nous appelons Sophie et Aurélie. Nous sommes jumelles. Moi, c'est Sophie. Je suis la plus âgée de cinq minutes. Nous avons les cheveux blonds, longs, et les yeux bleus. Je suis à gauche sur la photo. Ma soeur est bavarde et rigolote. Je suis plutôt timide. Nous habitons à Amiens.

Pause grammaire 1.1 ⟫▶ Entraînement à la page 108 ▶

Rappel: Verbs in the present tense *(Les verbes au présent)*

Two important irregular verbs:

être – *to be*		avoir – *to have*	
je suis	nous sommes	j'ai	nous avons
tu es	vous êtes	tu as	vous avez
il/elle/on est	ils/elles sont	il/elle/on a	ils/elles ont

Regular verbs ending in **-er**:   **-re**:   **-ir**:

aimer – *to like*		répondre – *to reply*		finir – *to finish*	
j'aime	nous aimons	réponds	répondons	finis	finissons
tu aimes	vous aimez	réponds	répondez	finis	finissez
il/elle/on aime	ils/elles aiment	répond	répondent	finit	finissent

About 80% of French verbs are regular **-er** verbs and take the same endings as ***aimer***.

b Copie les phrases et complète avec les mots corrects.

1 Pierre habite à (a) Amiens (b) Lille (c) Paris.
2 Delphine est (a) grande (b) de taille moyenne (c) petite.
3 Elle habite (a) à (b) près de (c) loin de Paris.
4 Sylvain est (a) roux (b) blond (c) brun.
5 Son copain s'appelle (a) Etienne (b) Benjamin (c) Sylvain.
6 Benjamin est (a) plus (b) moins sportif que Sylvain.
7 Sophie est (a) plus (b) moins bavarde qu'Aurélie.
8 (a) Sophie (b) Aurélie est la plus timide.

6 Rédige un résumé. Copie les textes en remplaçant 'je' par 'il/elle' et 'nous' par 'ils/elles'.

Exemple: Il/Elle s'appelle … . Il/Elle est/a …

> **Carte mémoire**
> ....
> faire du vélo/de la moto/de la gymnastique/les magasins/du roller
> jouer au foot/au tennis/sur l'ordinateur/aux jeux vidéo
> aller au cinéma/en ville
> manger au McDo, nager, lire, écouter de la musique, regarder la télé, sortir avec ses copains
> ....

7 a Ecoute et note: Qu'est-ce qu'ils font (✓) et qu'est-ce qu'ils ne font pas (✗)?

Exemple: Pierre 1✓, 7✓, …

b Complète ton résumé.

Exemple:
Pierre fait du vélo.
Il nage.
Il sort avec ses copains.
Ils font …

> **Pause grammaire 1.2** 〉 ▶ Entraînement à la page 110 ▶
>
> More useful irregular verbs (*Verbes irréguliers utiles*)
>
> | faire – *to do* | | aller – *to go* | |
> |---|---|---|---|
> | je fais | nous faisons | je vais | nous allons |
> | tu fais | vous faites | tu vas | vous allez |
> | il/elle/on fait | ils/elles font | il/elle/on va | ils/elles vont |
>
> For *lire, manger, sortir, voir*, see the lists of verbs on page 142.

Chez toi
Jeu d'imagination: La bande
Comment s'appellent-ils?
Ils ont quel âge?
Que font-ils? etc.

A Mohammed

Je m'appelle Mohammed. J'ai quatorze ans et je suis fana de foot. Je joue au foot et j'aime aussi aller voir les matchs. Je suis supporter de St-Etienne. J'y habite depuis cinq ans, mais je suis né au Maroc. Mon père est ingénieur. Il est assez petit et marrant, comme moi. Il est fana de foot lui aussi et il aime également aller aux matchs. Ma mère est institutrice. Elle est plus sérieuse. Elle aussi, elle est petite. Elle a les cheveux bruns et les yeux marron. J'ai deux sœurs et deux frères.

Mes deux sœurs s'appellent Amina et Leila. Elles sont de taille moyenne. Elles ont les cheveux longs. Elles se ressemblent beaucoup. Elles ont dix-sept et dix-huit ans. Amina est paresseuse. Leila est plutôt branchée. Quelquefois, elle m'emmène au bowling ou au karting avec ses amis. Ça, c'est vraiment cool! Ce que je n'aime pas, c'est que c'est toujours moi qui aide à la maison! Mes frères sont plus jeunes que moi et ils ne font rien. Aziz a neuf ans. Il ne travaille pas à l'école. Il fait des bêtises. Mon autre frère, Hassan, a treize ans. Il fait du skate et il sort beaucoup avec ses copains.

St-Etienne est une grande ville industrielle. Nous habitons dans une grande maison en banlieue. J'aime habiter ici parce que notre maison est grande et elle est près du stade. Pendant mon temps libre, je préfère sortir avec mes copains, faire du sport, draguer un peu et m'amuser.

8 a Lis et écoute.

b Réponds aux questions.

1 Comment s'appelle-t-il?
2 Quel âge a-t-il?
3 Où habite-t-il?
4 Il y habite depuis combien de temps?
5 A-t-il des frères et sœurs?
6 Quel est son sport préféré?
7 Quels autres sports aime-t-il?
8 Quelle sorte de personne est-il?
9 Comment sont ses parents?
10 Quels sont ses loisirs?

Pause grammaire 1.3

Entraînement à la page 111

Possessive adjectives *(Les adjectifs possessifs)*
These change to agree with the noun they precede:

	m	f	pl			m	f	pl
my	mon	ma*	mes		*our*	notre	notre	nos
your (tu)	ton	ta*	tes		*your* (vous)	votre	votre	vos
his/her	son	sa*	ses		*their*	leur	leur	leurs

* Use **mon/ton/son** with feminine nouns beginning with a vowel or a silent *h*: *mon amie, son histoire.*

9 Présente Mohammed. Prépare et enregistre un petit portrait.

Exemple: Il s'appelle Mohammed.
Il a ... ans. Il ...

10 Interviewe **1** un(e) partenaire (tutoyer) et **2** un(e) adulte (vouvoyer).

a Prépare les questions et tes réponses.

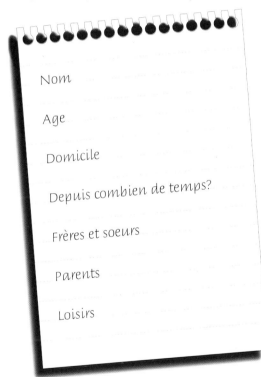

Nom

Age

Domicile

Depuis combien de temps?

Frères et soeurs

Parents

Loisirs

b Pose les questions et note les réponses.

c Rédige un résumé.

Exemple: Il/Elle ...
Son/Sa/Ses ...

Carte mémoire
....
Mon père/Ma mère
est infirmier/infirmière
est au chômage
travaille à son compte
....

Chez toi
Invente-toi une nouvelle personnalité. Présente-toi par écrit.

B Ma journée au collège

En France, on va au collège le lundi, le mardi, le jeudi, le vendredi et le samedi matin. On ne va pas au collège le mercredi, sauf si on a une retenue. On a une retenue si on ne travaille pas bien ou si on ne se comporte pas bien.

Normalement, les cours commencent à huit heures et finissent à dix-sept heures. Un cours dure cinquante-cinq minutes et nous avons une récré de vingt minutes à dix heures trente.

A l'âge de

- 3 ans on va à l'école maternelle;
- 6 ans on va à l'école primaire;
- 11 ans on va au collège;
- 15/16 ans on passe le brevet et on va dans un lycée;
- 18/19 ans on passe le Bac (Baccalauréat), qui donne le droit d'entrée à l'université.

La journée scolaire est très longue. Nous avons beaucoup de devoirs et il faut travailler dur pour réussir au Bac, mais pour trouver un bon métier il faut avoir le Bac.

école maternelle = *nursery school*
école primaire = *primary school*
collège ≈ *secondary school*
lycée ≈ *sixth-form college*
passer = *to take (an exam)*
une retenue = *detention*
réussir à = *to pass (an exam)*

1 Trouve au moins cinq différences.

Exemple: En France, le collège commence à ..., alors que chez nous ...

Pause grammaire 1.4   ⟩ Entraînement à la page 113

Reflexive verbs *(Les verbes pronominaux)*

Reflexive verbs are those with a reflexive pronoun in front of the verb: *se réveiller, se lever, se laver,* etc. (literally, 'to wake oneself up', 'to get oneself up', 'to wash oneself', etc.)

se lever – *to get up*

je me lève	nous nous levons
tu te lèves	vous vous levez
il/elle/on se lève	ils/elles se lèvent

s'entendre (avec) – *to get on (with)*

je m'entends	nous nous entendons
tu t'entends	vous vous entendez
il s'entend	ils s'entendent

Se lever is an irregular verb. For regular *-er* verbs see Pause grammaire 1.1, page 6.

> Ma mère me réveille à six heures et demie. Je me lève, je me douche, je me lave les dents et je m'habille. Puis je prends mon petit déj. Je mange des tartines avec du Nutella et je bois du chocolat chaud. Je mets mes affaires dans mon sac, je sors de la maison et je vais à l'arrêt de bus. Le car de ramassage passe à sept heures dix et j'arrive au collège à huit heures moins cinq. On a quatre cours le matin, et puis c'est le repas de midi. Je mange à la cantine avec mes copains. Quelquefois, à midi, je vais au club d'échecs. L'après-midi, les cours finissent à seize heures quarante et je rentre à cinq heures et demie. Je fais mes devoirs et je m'occupe de mon petit frère pendant que ma mère prépare le repas. S'il fait beau, on joue au foot dans le jardin, et s'il ne fait pas beau, on joue au ping-pong au sous-sol ou on regarde une vidéo. Nous dînons tous ensemble. Mon frère débarrasse la table et je fais la vaisselle. Puis je parle avec mon copain au téléphone, on discute des devoirs. Je me couche vers neuf heures et demie, parce que je dois me lever tôt le lendemain.
> Jacqui

2 Rédige un résumé: La journée de Jacqui
Recopie le texte en remplaçant 'je' par 'elle', etc.

Exemple: Jacqui se réveille à ... . Elle se lève, ...

3 La journée de Grégoire

a Ecoute et note: A quelle heure ...?

b Rédige un résumé.

Exemple: Il se réveille à ...

Flash langue
Je me lave les mains/les dents. – lit: *I (for myself) wash/clean the hands/teeth.*
Elle se peigne/se brosse les cheveux. – lit: *She (for herself) combs/brushes the hair.*

Carte mémoire
se réveiller s'habiller s'amuser
se lever se reposer s'occuper (de)
se laver se coucher s'intéresser (à)
se doucher s'entendre (avec)

Chez toi
Raconte ta journée scolaire.

Exemple: Je me ...

B *La fête des mères*

Pour la fête des mères, on offre généralement des chocolats. Parmi les jeunes interrogés (14–15 ans), 80% ont acheté une carte pour leur mère, 50% ont acheté des chocolats, 25% ont acheté des fleurs et 30% ont aidé à la maison. 15% ont préparé le petit déjeuner et 8% ont préparé le déjeuner. 10% n'ont rien fait, ils ont oublié!

> J'ai préparé le petit déjeuner pour mes parents. J'ai acheté des croissants et j'ai préparé le café. J'ai mis la table et j'ai acheté une carte et des fleurs pour maman.
> **Stéphanie**

> J'ai acheté des fleurs, et mon frère et moi, nous avons débarrassé la table et fait la vaisselle. Le soir, j'ai fait la baby-sitter et mes parents sont sortis voir des amis.
> **Laure**

> Je n'ai rien fait. J'ai oublié.
> *Ludovic*

> J'ai fait le ménage: j'ai passé l'aspirateur, j'ai nettoyé la salle de bains et l'entrée, et j'ai rangé ma chambre. Ma mère m'a dit que c'était le meilleur cadeau possible!
> **Florent**

> Le matin, j'ai aidé dans le jardin. J'ai tondu le gazon et j'ai arrosé les plantes, et à midi nous avons mangé au restaurant. On a bu du champagne!
> **Nicolas**

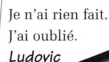

> Nous avons préparé le petit déj. et nous avons fait des cartes pour maman. Puis on a rangé le salon et aidé un peu dans la maison. Grand-mère nous a invités à dîner chez elle. Elle a préparé un coq au vin et comme dessert une tarte au citron superbe! Nous avons trop mangé! Après, on a joué aux cartes et grand-mère a triché comme toujours!
> **Aurélie et Sophie**

4 Qui est-ce?

5 Ecoute: Qui parle?

Pause grammaire 1.5

Entraînement à la page 113

Rappel: The perfect tense (*Le passé composé*)

This tense is used when talking about an event that happened in the past:

Il a fait la vaisselle. – *He did/has done the dishes.*
Ils ont acheté un cadeau. – *They bought/have bought a present.*

The perfect tense is formed with the auxiliary verbs **avoir** or **être** + the past participle.
Most verbs go with **avoir**:

j'ai mangé	nous avons fait
tu as écouté	vous avez acheté
il/elle/on a regardé	ils/elles ont joué

Most verbs make the past participle according to these regular patterns:

-er verbs: + -é   jou(er)   → joué
-re verbs: + -u   répond(re) → répondu
-ir verbs: + -i   fin(ir)   → fini

but many of the most common verbs are irregular:

avoir	→ eu	boire	→ bu	faire	→ fait
lire	→ lu	mettre	→ mis	prendre	→ pris
recevoir	→ reçu	voir	→ vu	vouloir	→ voulu

You will find a full list of verbs on pages 143–147.

6 a Qu'est-ce qu'ils ont fait pour la fête des mères? Fais la liste.

Exemple:
Stéphanie a acheté ...

b Et toi? Qu'as tu fait pour la fête des mères? Prépare tes réponses.

Flash langue

not ... anything = ne/n' ... rien
Je n'ai rien fait. – *I didn't do anything.*
Nous n'avons rien mangé. – *We didn't eat anything.*
Il n'a rien bu. – *He didn't drink anything.*

nobody/no one ... = personne ne/n'...
Personne n'a fait le ménage. – *Nobody did the housework.*

After negative expressions, *un/une* and *du/de la/de l'/des* all become *de*:

J'ai une soeur.	→	Je n'ai pas de soeur.
Je fais du cyclisme.	→	Je ne fais pas de cyclisme.
Quelqu'un a acheté des fleurs.	→	Personne n'a acheté de fleurs.

7 Fais un sondage. Interviewe neuf personnes.

Exemple: Qu'as-tu fait pour la fête des mères?

Chez toi

Rédige un résumé des résultats du sondage.

Exemple: X personnes ont acheté des cartes.

B Hier soir

8 Qui est-ce? Qu'est-ce qu'ils ont fait hier soir?
Fais correspondre les images et les textes.

Hier soir, après le collège, j'ai téléphoné à ma copine, et on a fait nos devoirs ensemble. Nous avons mangé, j'ai regardé la télé, j'ai joué à un jeu vidéo avec mon frère et j'ai lu une B.D.

Isabelle

Hier soir, j'ai joué au foot avec mes copains, puis j'ai fait mes devoirs, j'ai mangé, j'ai fait du vélo et j'ai écouté de la musique avant d'aller me coucher.

Antoine

Je n'ai rien fait. J'ai été malade, je n'ai rien mangé. J'ai regardé un peu la télé et puis j'ai dormi.

Benjamin

Hier soir, j'ai joué du piano. On a mangé, et après, j'ai fait mes devoirs et j'ai joué sur mon ordinateur. Puis j'ai travaillé pour un contrôle de maths.

Thomas

En rentrant, j'ai fait les courses pour maman. J'ai acheté du pain, du jambon et de la salade pour le dîner. J'ai mis la table et j'ai regardé la télé. Après le dîner, j'ai fait mes devoirs et j'ai joué aux cartes avec ma soeur. Puis j'ai lu des magazines.

Sophie

J'ai regardé la télé, j'ai fait mes devoirs, j'ai mangé et après, j'ai promené le chien. Puis j'ai joué aux cartes avec mon frère et ses copains.

Laurent

Hier soir, j'ai fait mes devoirs et j'ai travaillé sur mon ordinateur. Puis, après le dîner, j'ai lu un livre (j'aime les livres de Stephen King) et avant d'aller me coucher, j'ai fait un peu d'aérobic.

Géraldine

9 **a** Qu'est-ce qu'ils ont fait (✓) et qu'est-ce qu'ils n'ont pas fait (✗)? Copie et remplis la grille.

Nom									autre
Isabelle	✗	✓							

b Rédige un résumé.

> **Exemple:** Isabelle a mangé. Elle a … . Elle n'a pas …

10 Ecoute et lis les textes à haute voix. Attention à la prononciation!

> ### 🦻 *Phonétique*
>
> In English we usually stress the second syllable in a word. In French all parts of a word are usually stressed equally.
>
> Silent letters: *d, n, p, t, s* and *x* are usually not pronounced if they come at the end of a word:
> > trop, petit, grand, sport, froid, deux, chats, français
>
> Say these pairs of words:
> > petit/petite; grand/grande; chaud/chaude; froid/froide; vert/verte; gros/grosse
>
> If the next word begins with a vowel or a silent *h*, the words are run together and the silent letters are pronounced. This is called 'liaison'. Say these groups of words:
> > (s)   petits enfants, les Etats-Unis
> > (n)   en Angleterre, un oeuf
> > (x)   deux hôtels, vieux hommes
>
> Accents are used to modify the sounds of some letters. Note the effect of the acute accent (*accent aigu*) and the grave accent (*accent grave*):
> > é   je me suis levé   è   je me lève
>
> Other accents are the cedilla (*cédille*), which gives the *c* an 's' sound:
> > ç   garçon, façade
>
> and the circumflex (*circonflexe*), which usually has little or no effect on the sound:
> > âge, théâtre, fête, être, dîner, boîte, hôtel, hôpital

11 Ecoute: Qui parle? (1–5)

12 **a** Interview: Prépare huit questions et tes réponses.

> **Exemple:** Qu'est-ce que tu as fait hier soir?
> As-tu fait les courses?

b Pose les questions à un(e) partenaire et note les réponses.

> **Exemple:** Il/Elle a …
> Il/Elle n'a pas …

Chez toi

Qu'est-ce que tu as fait hier soir? Ecris un paragraphe.

Exemple: J'ai … . Je n'ai pas …

C Mon dernier anniversaire

A

B

C

D

C'était un mardi, donc je suis allé au collège. Après le collège, mes copains sont venus chez moi. On a mangé du gâteau et on a écouté de la musique, et puis on a joué au jeu de société 'Pictionary'. C'était rigolo. On s'est bien amusés.

Olivier

Le jour de mon anniversaire, nous sommes allés manger au resto, c'est-à-dire moi, mes parents, mes grands-parents et mes deux soeurs. Nous sommes partis à onze heures et nous sommes rentrés à dix-huit heures. On a beaucoup mangé, mais c'était un peu ennuyeux. L'année prochaine, je préférerais aller au parc d'attractions avec des copains.

Jérôme

Pour mon anniversaire, je suis allée au cinéma avec mon petit copain, Alain. Il est venu chez moi après le collège. On a fait nos devoirs ensemble, et puis nous sommes sortis vers dix-huit heures. Nous sommes allés en ville, nous avons mangé au McDo et puis on a vu le film: 'Visiteurs extraterrestres'. Ce n'était pas drôle.

Annie

Pour fêter mon anniversaire, je suis allé à la Cité des Sciences et de l'Industrie à la Villette, près de Paris, avec ma copine. Nous avons pris le métro et nous sommes descendus à la Porte de la Villette. On est arrivés à dix heures et demie. D'abord, on a visité la Géode, où nous avons vu un film sur les astronautes au cinéma Omnimax. Après, on a visité le musée. A midi, on a mangé un sandwich, et puis on a continué la visite. Il y a tant de choses à voir! Nous sommes sortis à 17h30 et nous sommes rentrés à 19 heures. C'était très intéressant, mais fatigant aussi.

Alex

1 **a** Fais correspondre les photos et les textes.

b Ecris deux phrases pour décrire chaque photo.

> **Exemple:** Pour fêter son anniversaire, Alex a visité ... avec ... .
> Ils se sont bien amusés, mais c'était fatigant.

2 Ecoute: Qui parle?

Pause grammaire 1.6

Entraînement à la page 114

The perfect tense (*Le passé composé*)

The following verbs form the perfect tense with *être*. They are easiest to learn in pairs, and some people find it helpful to think of them as the 'coming and going' verbs:

aller	venir
arriver	partir
entrer	sortir
monter	descendre
naître	mourir
rester	tomber

Verbs based on these also use *être*, e.g. *repartir, rentrer, remonter*, etc.

In the perfect tense with *être*, the past participle agrees with the subject:

m	*f*	*m pl*	*f pl*
–	-e	-s	-es

Je suis allé(e) en ville. – *I went to town.*
Il est venu en retard. Elle est arrivée à l'heure. – *He came late. She arrived on time.*
Elles sont entrées dans le château fantôme. Ils sont restés dehors.
– *They [the girls] went into the ghost castle. They [the boys] stayed outside.*

All reflexive verbs (see Pause grammaire 1.4, page 10) also use *être* to form the perfect tense:

Je me suis lavé(e). – *I got washed.*

---

3 Lis les textes encore une fois. Fais la liste des verbes au passé composé qui vont avec 'avoir' et de ceux qui vont avec 'être'.

Exemple:

avoir	*être*
a mangé	suis allé
a écouté	sont venus

Chez toi

Qu'as-tu fait pour ton dernier anniversaire?
Ecris un paragraphe.

Exemple: Pour mon dernier anniversaire, ...

Au Parc Disneyland

Heures d'ouverture et de fermeture du Parc
En semaine: 10:00–18:00
Samedi et dimanche: 09:00–20:00

MAIN STREET

ATTRACTION

1 **Disneyland Railroad** – Excursion en train à vapeur à Frontierland, Fantasyland et Discoveryland

RESTAURANT

Casey's Corner – Hot-dogs

BOUTIQUES

Souvenirs, pellicules, livres, papeterie, vêtements et jouets Disney, etc.

FRONTIERLAND

ATTRACTIONS

2 **Thunder Mesa Riverboat Landing** – Voyagez à bord d'un bateau à aubes sur les Rivers of the Far West

3 **Big Thunder Mountain** – Montez à bord d'un train déchaîné (Attention: restriction de taille 1,02 m)

4 **Pocahontas Indian Village** – Terrain de jeux pour les petits

RESTAURANT

Last Chance Café – Cuisse de dinde

ADVENTURELAND

ATTRACTIONS

5 **Indiana Jones™ et le Temple du Péril** – Course effrénée dans un site archéologique (Attention: restriction de taille 1,40 m)

6 **Adventure Isle** – Des grottes secrètes, des chutes d'eau, des ponts entremêlés

RESTAURANT

Captain Hook's Galley – Snacks, boissons

FANTASYLAND

ATTRACTIONS

7 **Le Château de la Belle au Bois Dormant**

8 **Blanche-Neige et les Sept Nains** – Un voyage où vous rencontrerez Blanche-Neige, les Sept Nains et la Reine Sorcière

9 **Les voyages de Pinocchio** – Suivez Pinocchio dans l'aventure qui fera de lui un petit garçon

10 **Mad Hatter's Tea Cups** – Des tasses tourbillonnantes vous emportent autour de la table d'Alice au Pays des Merveilles

RESTAURANT

Fantasia Gelati – Glaces

DISCOVERYLAND

ATTRACTIONS

11 **Space Mountain** – De la terre à la lune: un canon géant vous catapulte dans les espaces interstellaires (Attention: restriction de taille 1,40 m)

12 **Arcade de Jeux Vidéo** – Découvrez l'interactivité à sensations fortes (payant)

13 **Le Visionarium** présenté par **Renault** – Une aventure à 360 degrés avec Jules Verne et Timekeeper

RESTAURANT

Buzz Lightyear's Pizza Planet

LES PARADES

Aujourd'hui à 14:00: Le Bossu de Notre-Dame et le Carnaval des Fous

© Disney

Le jour de mon anniversaire, je suis allé au Parc Disneyland avec deux copains, Marc et Romain. Nous sommes partis de chez moi à sept heures du matin et nous sommes arrivés à neuf heures et demie. Nous y sommes allés en voiture avec mon père. Il n'est pas entré dans le parc. Il nous a laissés là et il est venu nous chercher à huit heures du soir, quand le parc a fermé. D'abord, on a fait le tour du parc en train et on est descendus à Discoveryland. Là, on a fait le canon géant et puis on est allés manger au restaurant Pizza Planet. Ensuite, on a fait un tour sur chaque manège et on n'a mangé que des hamburgers et des frites. C'était super!
Stéphane

4 A deux: A tour de rôle, posez et répondez aux questions.

1 Comment Stéphane a-t-il fêté son anniversaire?
2 Avec qui?
3 Comment ont-ils voyagé?
4 Le trajet a duré combien de temps?
5 Combien de temps ont-ils passé au parc?
6 C'était comment?

5 **a** Ecoute et note: Qu'est-ce qu'ils ont fait? C'était comment?

Attraction	Comment?
1	C

A Super!
B Chouette!
C Génial!
D Bof!
E Pas mal.
F Ennuyeux.
G Fantastique!
H Cool!

b Rédige un résumé.

Exemple: D'abord, ils ont fait ... et puis ils sont allés ...
Ensuite, ils ont/ils sont ... et finalement, ils ont/ils sont ...

Chez toi
Jeu d'imagination: Tu as visité un parc d'attractions avec un copain/une copine.
Où êtes-vous allé(e)s? Qu'est-ce que vous avez fait?

Exemple: Nous sommes ... . Nous avons ...

Bilan

Check that you can ...

1 talk about yourself and others.

- Give your own name, age and nationality
- Do the same for somebody else
- Describe yourself and somebody else

Je m'appelle .../J'ai ... ans/Je suis ...
Il/Elle s'appelle .../a ... ans/est ...
J'ai les cheveux longs, ...
Je suis bavard(e), ...
Il/Elle a les cheveux courts, ...
Il/Elle est timide, ...

2 describe where you live. Say

- where you live
- how long you have lived there
- what there is in the neighbourhood and what there isn't

J'habite à ... dans le nord de ...
J'y habite depuis cinq ans.
Il y a un/une/des ...
Il n'y a pas de ...

3 talk about leisure time. Say

- what you like doing
- what you don't like doing
- what somebody else likes and doesn't like doing
- what nobody likes doing

J'aime faire du vélo/les magasins.
Je n'aime pas faire de gymnastique.
Il/Elle aime jouer au foot.
Il/Elle n'aime pas aller au cinéma.
Personne n'aime faire de randonnées.

4 describe your family. Say

- what your parents do
- what you do as a family

- who you get on with and who you don't get on with

Mon père/Ma mère est infirmier/infirmière.
Nous avons .../faisons .../sommes ...
or: On a .../fait .../est ...
Je m'entends bien avec ...
Je ne m'entends pas bien avec ...

5 talk about your day. Say

- what you do in the morning
- when you go out and get home
- what you do in the evening
- when you go to bed

Je me réveille, je me lève, je me lave ...
Je sors/arrive/rentre à ...
Je me repose, je m'occupe de ...
Je me couche à ...

6 talk about events in the past. Say

- what you did or have done
- that you didn't do anything
- that nobody did something
- where you went and where someone else went

J'ai acheté .../J'ai préparé .../J'ai oublié ...
Je n'ai rien fait.
Personne n'a acheté de fleurs.
Je suis allé(e) .../sorti(e) .../resté(e) ...
Il est allé .../Elle est rentrée ...

7 express an opinion. Say that something is

- great
- OK
- boring

C'est super/chouette/génial/fantastique!
Bof. C'est pas mal.
C'est ennuyeux.

Contrôle révision

A Ecoute: Copie et remplis la fiche pour Séraphine.

Nom	Prénom . . . .
Age	Domicile . . . .
Nationalité	
Lieu de naissance	
Famille	
Loisirs	
Matières préférées	
Autres détails	

B Parle: Fais un portrait oral de James pour ton/ta correspondant(e) français(e).

MANCHESTER

C Lis le texte et réponds aux questions.

1 Qu'est-ce qu'ils ont fait pour l'anniversaire de maman?

   a Chloé   **b** son frère   **c** son père

Exemple:
Chloé a préparé le petit déjeuner.

2 Qu'est-ce que Chloé a fait après le petit déjeuner?
3 Qu'est-ce que son frère n'a pas fait? Pourquoi?
4 Et qu'est-ce que le chien a fait?

Hier, c'était l'anniversaire de maman. J'ai préparé le petit déjeuner. Mon frère est sorti acheter des croissants frais. J'ai mis la table et j'ai fait le café. Quand maman est entrée dans la cuisine, il y avait un grand bouquet de fleurs sur la table. C'est papa qui l'a acheté. Le petit déj était tout prêt. Mon père lui a aussi offert des billets de théâtre et mon frère, une boîte de chocolats. Il a aussi promis de faire la vaisselle pendant une semaine entière. Moi, je lui ai donné un grand vase bleu et j'ai promis de ne pas me disputer avec mon frère pendant une semaine. Je suis sortie voir mon petit copain qui avait un match de basket, et quand je suis rentrée la cuisine était un vrai désastre. Mon frère ne voulait pas débarrasser la table parce que son ami était là. Ils préféraient jouer à leurs jeux vidéo, bien sûr. Le chien était dans la cuisine, il était en train de manger les chocolats. Mon beau vase était par terre, il était en mille morceaux. J'étais furieuse!

Chloé

D Ecris: Choisis une fête vraie ou imaginaire.
(Par exemple: mon anniversaire; l'anniversaire de mon copain/ma copine; la fête des mères/pères; un mariage; Noël)
Ecris une lettre à Chloé. Raconte-lui ce que tu as fait.

2 Mon monde à moi

A Chez moi

1 a Ecoute: Où habitent-ils? C'est quelle photo? (1–5)

A

B

C

D

E

Amiens
Basse-Terre
Dédougou
Le Lavandou
Morzine

b Ecoute: Le climat est comment? Note les autres informations. (1–5)

A

B

C

D

E

F

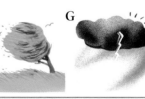
G

c Ecris un petit texte sur chacun.

Eric	habite à/au ...	dans/en/sur/à/aux ...
En hiver	il ...	beaucoup/souvent
En été	il fait	assez/très ...
	il y a ...	

le nord/le sud	les Alpes
l'Afrique	les Antilles
le Burkina Faso	les Caraïbes
la France	la Côte d'Azur
la Guadeloupe	le lac Léman
	la Méditerranée

2 a Ecoute: Qu'est-ce qu'il y a chez eux? (1–5)

A des magasins   D une gare routière   G une rivière
B un hôpital   E des écoles   H une gare
C une cathédrale   F un marché   I une mosquée

Et quoi d'autre?

b Ecoute: Qu'est-ce qu'on peut faire? (1–5)

A   B   C

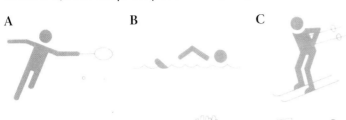

D   E   F

G   H   I   J

Et quoi d'autre?

c Ecris un petit texte sur leur ville ou village.

Exemple:
(*Amiens*) est (*une ville dans le nord de la France*). Il fait (*froid*) en hiver et (...) en été.
Il (*pleut*) beaucoup et (...). Il y a (*une cathédrale, un marché, des magasins, ...*). On peut aller
(*à la piscine, au fast-food, ...*).

3 A deux: Préparez et enregistrez un petit discours sur votre village ou votre ville pour un collège jumelé.

Exemple:
Nous habitons à ...   En hiver ... et en été ...
C'est situé ...   A ... il y a ...
C'est (une ville/un village).   On peut ...

Chez toi
a Fais une liste des bâtiments qu'il doit y avoir dans une ville.

b Ecris un petit texte sur ta ville/ton village ou sur une ville imaginaire.

4 Lis et écoute.

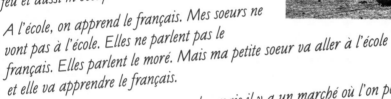

Je m'appelle Bacary. J'habite à Douroula, un petit village au Burkina Faso. C'est au nord-ouest de l'Afrique, au sud du désert du Sahara.

Le Burkina Faso a environ neuf millions d'habitants. La capitale s'appelle Ouagadougou. Les habitants du Burkina Faso s'appellent les Burkinabés. Douroula est jumelé avec la ville de Besançon en France. L'année dernière, un groupe d'étudiants de Besançon est venu construire un puits.

J'habite avec ma famille. Nous avons cinq vaches et deux ânes. Mon père a quatre femmes et j'ai neuf frères et sept soeurs. Mon père et mes frères travaillent dans les champs. Les femmes s'occupent du jardin et de la cuisine. Elles préparent le mil pour le repas du soir. Après l'école, je dois aller chercher du bois pour faire le feu et aussi m'occuper des animaux.

A l'école, on apprend le français. Mes soeurs ne vont pas à l'école. Elles ne parlent pas le français. Elles parlent le moré. Mais ma petite soeur va aller à l'école et elle va apprendre le français.

Il n'y a pas de magasins à Douroula, mais il y a un marché où l'on peut acheter de la viande, des fruits et des légumes. Si on veut acheter des vêtements, il faut aller à Dédougou, mais c'est difficile parce qu'il n'y a pas de bus.

Le climat est tropical, c'est-à-dire composé de deux saisons: une saison sèche, de mars à juin, et une saison des pluies, de juillet à octobre. Le climat est sain, ensoleillé, chaud et sec.

jumelé avec =	*twinned with*
étudiant =	*student*
construire =	*to build*
le puits =	*well*
un âne =	*donkey*
le mil =	*millet*
sain =	*healthy*
le bois =	*wood*
la pluie =	*rain*
sec =	*dry*

Pause grammaire 2.1 >━━Entraînement à la page 116 ↱

Names of countries (*Les noms de pays*)

How you say 'in' and 'to' with names of countries depends on their gender and whether they are singular or plural:

m	*f*	*pl*
au Japon	en France	aux Etats-Unis
(*in/to Japan*)	(*in/to France*)	(*in/to the United States*)

---

5 **a** A deux: A tour de rôle, posez une question et répondez à la question suivante.

1 Où habite Bacary?
2 Où se situe son pays?
3 Comment s'appelle la capitale?
4 Il y a combien d'habitants?

5 Quelle est la langue officielle?
6 Bacary a combien de frères et soeurs?
7 Comment s'appelle la ville la plus proche?
8 Comment est le climat?

b A tour de rôle, posez deux autres questions à votre partenaire et répondez.

Pause grammaire 2.2 >━━Entraînement à la page 116 ↱

Rappel: Adjectives (*Les adjectifs*)

All nouns in French are either masculine or feminine, and adjectives change to agree with the noun they describe. For most adjectives, *-e* is added to make the feminine form, but there are some irregular adjectives:

m	*f*
un grand port	une grande ville
un petit village	une petite ville
un vieux quartier	une vieille maison
un beau château	une belle région
un nouveau magasin	une nouvelle église

Grand, *petit*, *beau*, *nouveau* and *vieux* usually go in front of the noun, but most other adjectives follow the noun:

m	*f*
un pays industriel/important	une ville industrielle/importante

---

6 A deux: Faites la liste de cinq différences entre la France et le Burkina Faso.

Exemple:
La France/Le Burkina Faso se situe ...
En France/Au Burkina Faso, il y a/il n'y a pas de ...
La France/Le Burkino Faso est plus/moins ...
Le climat est plus/moins ...

> **Carte mémoire**
> ....
> joli(e); touristique; historique; moderne; ennuyeux/euse; intéressant(e)
> ....

Chez toi
Fais la liste de cinq différences entre le Burkina Faso et ton pays.

Chez nous	il y a .../il n'y a pas de ...
Au Burkina Faso	on peut/on ne peut pas ...

A *Il y a cinquante ans*

Mon grand-père me dit que, quand il était petit, notre ville était un petit village. Les maisons étaient construites en argile. Il y avait moins de trente habitants et il y avait de l'eau partout dans les puits et dans la rivière. On cultivait le riz ici. Il y avait de la forêt tout autour. Quand il était petit, il allait chercher du bois dans la forêt pour faire du feu pour la cuisine. Il n'y avait pas d'école. Quand il était plus grand, il travaillait dans les champs et s'occupait des animaux. Il n'y avait pas d'électricité dans le village et il n'y avait pas de magasins. Pour aller au marché, on marchait quatre heures. Il n'y avait pas de moyens de transport. On devait aller partout à pied et on n'avait pas de chaussures!

Aujourd'hui, il y a beaucoup plus d'habitants. La plupart des maisons sont construites en béton. Il y a des rues, des magasins, un restaurant, un marché, une pharmacie, un hôpital, une poste, une école primaire et un collège. Nous avons des lampes électriques à la maison, une télé et une radio, mais nous n'avons pas de téléphone. Nous ne cuisinons plus au feu de bois, mais au gaz. Il y a un bus pour les gens qui vivent dans les petits villages autour, et il y a deux taxis. Autour de la ville, il y a toujours la forêt et les champs, mais aujourd'hui on cultive le mil et le maïs.

Félix

l'argile *(f)* = *clay*
le béton = *concrete*
le maïs = *maize*

7 Lis le texte et écris un titre pour chaque image.

Exemple: A Le puits du village

Pause grammaire 2.3
Entraînement à la page 118

The imperfect tense (*L'imparfait*)

The imperfect tense is used to describe

a what something was like: Notre ville était un petit village.
b what used to happen: Il allait toujours à pied.

To form the imperfect, start with the *nous* form of the present tense (for all verbs except *être*):
regardons, allons, avons, faisons, buvons, dormons, etc.
Take off the *-ons* and add the following endings:

avoir – *to have*   être – *to be*

j'av**ais**   nous av**ions**   j'ét**ais**   nous ét**ions**
tu av**ais**   vous av**iez**   tu ét**ais**   vous ét**iez**
il/elle/on av**ait** ils/elles av**aient**   il ét**ait**   ils ét**aient**

8 a C'était comment?   **b** Et aujourd'hui? Fais la liste des différences.

Exemple: Il n'y avait pas de …   **Exemple:** 1 Aujourd'hui, on porte des
On n'avait pas de …   chaussures.

9 Copie et complète les phrases.

1 Son grand-père … dans un petit village. (habiter)
2 On … au feu de bois. (cuisiner)
3 Il y … de l'eau partout. (avoir)
4 Les maisons … construites en argile. (être)
5 Il n'y … pas d'électricité. (avoir)
6 Les gens … partout à pied. (aller)
7 On … le riz. (cultiver)
8 Les enfants … dans les champs. (travailler)
9 Ils … chercher du bois pour le feu. (aller)
10 Ils … des animaux. (s'occuper)

Chez toi
Ecris un paragraphe: Quand j'étais petit(e) …

Exemple: Quand j'étais petit(e), j'avais …/je faisais …/je jouais …/je mangeais …/je portais …

B Le château de Fontainebleau

Le château de Fontainebleau est situé dans la forêt de Fontainebleau, l'une des plus grandes et plus belles forêts de France. Fontainebleau se trouve à une soixantaine de kilomètres au sud de Paris. Les rois de France venaient toujours à Fontainebleau pour chasser, parce que la chasse était le sport préféré des rois.

Après la chasse, les grands personnages ne voulaient pas rentrer en ville et le château de Fontainebleau est devenu leur maison de vacances dans la forêt! Les personnages importants avaient une suite de chambres. C'était leur appartement de vacances, mais il n'y avait pas de cuisine ou de salle de bains. (On avait une cuisine commune et on faisait sa toilette dans sa chambre.) Ils y ont installé leur famille et leur entourage: les domestiques faisaient le ménage, s'occupaient des chambres et de la toilette, et faisaient le linge, les costumiers s'occupaient des vêtements et des chaussures, les nourrices s'occupaient des enfants, les cuisiniers préparaient les repas et les valets d'écurie s'occupaient des chevaux.

François Ier

Il y avait déjà un château à Fontainebleau en 1137. En 1528, François Ier, qui aimait aller à la chasse par-dessus tout, a décidé de transformer son petit château en palais royal. Il a fait venir des artistes d'Italie pour décorer les appartements. C'était aussi le palais préféré de Napoléon. Aujourd'hui, on peut visiter le château et voir les chambres des rois et des reines, comme le boudoir de la reine Marie-Antoinette, la salle du trône et la grande salle de bal.

Marie-Antoinette

Mon arrière-grand-père était chef-jardinier au château et ma grand-mère était concierge. Elle y habitait encore quand j'étais toute petite. Ma mère y travaille toujours dans l'administration. J'aime visiter le château, parce que c'est de l'histoire vivante. Le soir, quand tous les touristes sont partis, on peut imaginer que les grands personnages se promènent toujours dans les couloirs et dans les jardins, et que leurs enfants jouent toujours dans la cour.

Corinne

Napoléon Bonaparte

Flash langue
Read the passage again and find out how to translate 'their'.

1 **a** Prépare tes réponses aux questions.

b A deux: Posez les questions et répondez à tour de rôle.

1 Où se trouve le château?
2 Le château existe depuis combien d'années?
3 Pourquoi les rois venaient-ils à Fontainebleau?
4 Pourquoi restaient-ils au château?
5 Qui a transformé le château en palais royal?
6 D'où venaient les artistes qui ont décoré le château?
7 Qu'en penses-tu: Pourquoi Corinne aime-t-elle habiter à Fontainebleau?
8 Qu'en penses-tu: Qu'est-ce qu'elle n'aime pas?

2 Qu'est-ce qu'ils faisaient?

> Rappel: To say what **used to** happen you use the imperfect tense (*l'imparfait*): see Pause grammaire 2.3, page 27.

a Choisis la bonne fin de phrase.

1 Les valets d'écurie   a rangeaient les chambres
2 Les jardiniers   b s'occupaient des vêtements
3 Les costumiers   c faisaient la cuisine
4 Les dames de la cour   d faisaient la toilette des enfants
5 Les cuisiniers   e se promenaient dans les jardins
6 Les courtisans   f allaient à la chasse
7 Les domestiques   g s'occupaient du gazon
8 Les nourrices   h nettoyaient les chevaux

b Choisis la bonne image.

A   B   C   D   E   F   G   H

3 Ecoute: Choisis la bonne image.

Chez toi

Ecris un paragraphe sur le château de Fontainebleau et sur ce qu'on y faisait au temps des rois.

Exemple: Le château de Fontainebleau est/se trouve … . Les rois …

Les maisons de François Ier, roi de France 1515–1547

François d'Angoulême est né le 1er septembre 1494 à Cognac. Le roi Louis XII n'avait pas de fils et François était l'héritier mâle du trône de France. Alors qu'il était encore petit, il est allé habiter à Amboise avec la cour de Louis XII. A l'âge de vingt ans, il s'est marié avec la fille du roi, Claude de France. Il avait vingt et un ans quand il est devenu roi.

Amboise

Devenu roi, il ne voulait plus habiter tout le temps à Amboise, parce que c'était la maison de son beau-père et tous les parents et les amis de son beau-père y habitaient. Il est donc parti habiter à Blois, le château de sa femme, mais il est bientôt parti faire la guerre contre les Italiens. Il a été tellement impressionné par la sculpture et l'architecture italiennes, qu'il a décidé de se faire construire sa propre maison, le château de Chambord, dans le style italien. Le château compte 440 pièces, 365 fenêtres, 13 escaliers principaux et un parc entouré de 30 kilomètres de murailles. Les travaux ont duré plus de douze ans, et plus de 1 800 ouvriers ont travaillé à la construction du château et des jardins.

Chambord

A Chambord, on menait une vie de plaisirs, partagée entre la chasse, les bals et les festins. François y a reçu des rois et des artistes, dont Charles V, empereur du Saint Empire Romain Germanique, et Léonard de Vinci, qu'il admirait beaucoup.

Blois

Mais François 1er ne restait jamais longtemps dans un château. Sa cour n'avait pas de résidence fixe et voyageait de ville en ville, de château en château, avec bagages, vaisselle, meubles, domestiques et même tapisseries. Son entourage se composait d'environ 18 000 chevaux, 6 000 cavaliers, 12 000 piétons et des centaines de voitures, tirées par des chevaux, bien sûr!

le beau-père = *father-in-law*	l'héritier mâle du trône = *male heir to the throne*
construire = *to build/construct*	
la cour = *the court*	se marier avec = *to marry*
devenir = *to become*	mener = *to lead*
donc = *therefore*	les parents *(m)* = *relations*
dont = *among them*	partagé(e) entre = *divided between*
entouré de = *surrounded by*	le Saint Empire Romain
la guerre = *war*	Germanique = *Holy Roman Empire*

4 Ecoute et lis.

5 a Vrai ou faux?

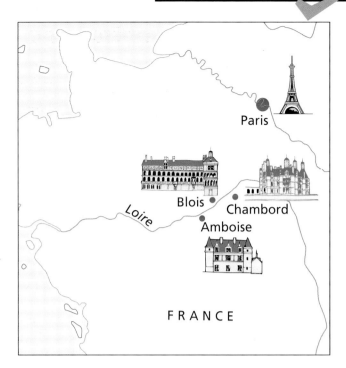

1 François Ier était le fils du roi Louis XII.
2 Il était roi au seizième siècle.
3 Il habitait à Paris quand il était petit.
4 Il buvait du cognac.
5 Il s'est marié avec Claude de France.
6 Blois était un château qui appartenait
   à sa femme.
7 François Ier a fait la guerre contre
   les Espagnols.
8 Il admirait beaucoup les artistes italiens.
9 Il aimait aller à la chasse.
10 Il avait plusieurs maisons.

b Recopie les phrases correctes.

Exemple: 1 Le roi Louis XII n'avait pas
de fils.

6 a Prépare tes réponses aux questions.

b A deux: Posez les questions et répondez à tour de rôle.

1 Qui était François Ier?
2 Qui était Louis XII?
3 Qui était Claude de France?
4 Qui était Charles V?
5 Où se trouve Amboise? Qu'est-ce que c'était?
6 Où se trouve Blois? Qu'est-ce que c'était?
7 Où se trouve Chambord? Qui l'a fait construire?
8 Comment voyageait le roi François Ier?

7 Fais la liste des verbes à l'imparfait et des verbes au passé composé dans le texte.

⭐ To find out more on how to use the perfect tense with the imperfect, see Pause grammaire 6.1, page 98.

Chez toi

Qu'en penses-tu? Fais la liste de dix choses qu'on n'avait pas ou qu'on ne faisait pas au seizième siècle.

Exemple:
Au seizième siècle,
on n'avait pas de .../
on ne mangeait pas de .../
on ne buvait pas de ...

Le saviez-vous?

Au temps de François Ier, le lit était souvent entouré de rideaux. On se couchait normalement nu, et il y avait souvent plusieurs personnes à se coucher dans le même lit. Les visiteurs étaient souvent invités à partager le lit. Des lits de camp étaient dressés dans la chambre pour les gens de l'entourage.

B Hier et aujourd'hui

A

B

C

D

E

F

G

H

8 a Qu'est-ce qu'on faisait au château au temps de Louis XIV?
Fais correspondre les textes et les images.

1 On allait à pied ou à cheval.
2 On voyageait en calèche.
3 On se lavait dans sa chambre avec un pot d'eau.
4 On buvait de la bière ou du vin.
5 On lavait la vaisselle sans détergent.
6 On mangeait avec les mains et un couteau.
7 On pêchait.
8 Les enfants riches portaient des vêtements peu confortables.

b Ecoute et vérifie.

c Pourquoi? Ecoute encore une fois et note.

   Exemple: A pas de détergent.

d Ecris des phrases.

   Exemple: 1 On allait à pied ou à cheval parce que
                la voiture n'était pas encore inventée.

> **Carte mémoire**
>
> aller; avoir; boire; cuisiner; faire;
> jouer; laver; se laver; manger;
> s'occuper; porter

9 **a** Fais la liste des choses que tu utilises
      qui ont besoin d'électricité.

b Ecoute et note. As-tu oublié quelque chose?
   Ont-ils oublié quelque chose?

Flash langue

Saying 'to have to/had to'

a devoir = *to have to/ought to*

   je dois – *I have to/I must*   Je dois faire mes devoirs.
   on devait – *one had to*   On devait aller à pied.

b falloir = *to be necessary/one must*

   Falloir is an impersonal verb. This means that it is only used in the third person ('it' form):

   il faut = *it is necessary*   Il faut aller à l'école le samedi matin.
   il fallait = *it was necessary*   Il fallait laver les vêtements à la main.

10 C'était comment chez toi? Complète les phrases.

   Il y a cent ans, ...

> il y a cent ans = *a hundred years ago*
> la faux = *scythe*

1 on devait aller se coucher de bonne heure parce qu'il n'y avait pas ...
2 pour aller en ville, il fallait ... parce qu'on n'avait pas encore inventé ...
3 on devait cuisiner ... parce qu'on n'avait pas de ...
4 mon arrière-grand-père devait couper l'herbe avec une faux parce qu'...
5 mon arrière-grand-mère devait laver le linge à la main parce qu'...
6 on devait cultiver des légumes parce que ...

Chez toi

Hier et aujourd'hui: Fais la liste de cinq autres différences.

C J'habite à Fontainebleau

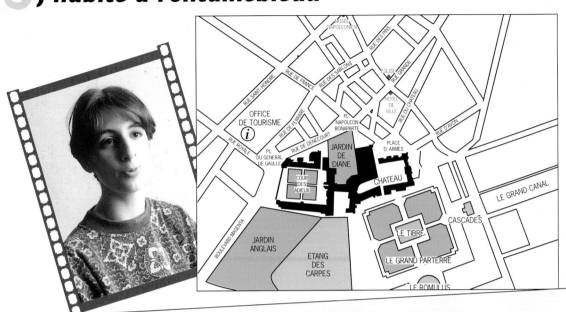

J'habite à Fontainebleau depuis deux ans. Aujourd'hui, Fontainebleau est une ville résidentielle et touristique au milieu de la forêt. La plupart des gens travaillent dans le tourisme et l'hôtellerie, mais mon frère aîné travaille dans la forêt.

La ville est très jolie et en été il y a beaucoup de touristes. Il y en a toute l'année, mais en été il y a encore plus de cars et de monde, et beaucoup de touristes américains et japonais. C'est bien si on veut apprendre des langues, mais si on veut aller en ville, il faut y aller à pied, parce que c'est impossible de garer la voiture. Il y a trop de circulation et il n'y a pas assez de places dans les parkings.

Chez nous, il y a une piscine, un stade, un terrain de golf et des courts de tennis, mais ça coûte cher. Beaucoup de gens font de l'équitation dans la forêt, mais ça coûte cher aussi. Ma soeur est membre du poney club. Nous faisons aussi du vélo. En été, nous n'allons jamais au centre-ville. Les prix dans les magasins et les cafés sont augmentés pour les touristes et il n'y a que des souvenirs dans les boutiques. Il n'y a rien pour nous, pas de jeans bon marché, par exemple. Il y a des boutiques qui vendent les grandes marques: Calvin Klein, Christian Dior, Chanel, et tout ça, à des prix très élevés, pour les touristes. Nous, on fréquente les endroits moins connus et pour faire nos achats on va aux grandes surfaces hors de la ville.

Nous ne pouvons plus partir en vacances en été, parce que mes parents travaillent dans l'hôtellerie. Avant de venir ici, ils étaient profs dans une école d'hôtellerie. Ils avaient de longues vacances et on allait toujours à Hyères, sur la Côte d'Azur. Cette année, je vais travailler moi aussi dans un hôtel en ville, pour gagner de l'argent et acheter une moto. On va prendre des vacances au mois de novembre. On va à New York et en Floride. Je ne suis jamais allé en Amérique, et j'attends de partir avec impatience, mais d'abord il faut travailler et gagner de l'argent!

Benjamin

1 Lis le texte et réponds aux questions.

1 Où se trouve Fontainebleau?

2 C'est quelle sorte de ville?

3 Benjamin y habite depuis combien de temps?

4 A-t-il des frères et soeurs?

5 Que font ses parents?

6 Où va-t-il passer les grandes vacances?

7 Qu'est-ce qu'il attend avec impatience?

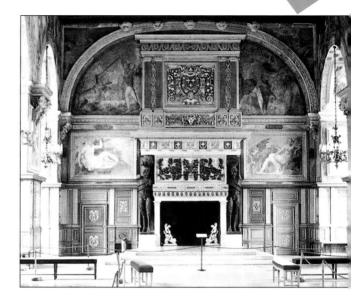

2 Selon Benjamin, quels sont les avantages et les inconvénients d'habiter à Fontainebleau?

Exemple: Les avantages: il y a ...; on peut ...

Les inconvénients: il n'y a pas de ...; on ne peut pas ...

3 Ecoute: Selon Pierrette, quels sont les avantages et les inconvénients d'y habiter?

Pause grammaire 2.4   〉▶ Entraînement à la page 118 ▶〉

Negation (*La négation*)

not = ne/n' ... pas   Je ne mange pas de viande. – *I don't eat meat.*
                        Il ne va pas en ville. – *He doesn't go into town.*

Some other negative expressions:

no longer/more = ne/n' ... plus	On ne va plus en ville. – *We don't go into town any more.*
only = ne/n' ... que	Il ne boit que de l'eau. – *He only drinks water.*
never = ne/n' ... jamais	Elle n'a jamais fait d'équitation. – *She has never been riding.*
nothing/not anything = ne/n' ... rien	Je n'ai rien fait. – *I didn't do anything.*
nobody/not anybody = ne/n' ... personne	Il n'a vu personne. – *He didn't see anybody.*

---

4 Fais la liste des expressions négatives dans le texte.

Chez toi

Où habites-tu? Quels sont les avantages et les inconvénients d'y habiter?

J'habite ... . J'y habite depuis ...			
J'aime Je n'aime pas	y habiter parce qu'		on peut/on ne peut pas ... il y a/il n'y a pas de ...
Ce que	j'aime, je n'aime pas,	c'est qu'	il y a beaucoup d'animation ... il y a un manque d'activités sportives ...
Les avantages/inconvénients sont qu'			

Une journée à Fontainebleau

5 Imagine que tu as passé la journée à Fontainebleau.
Rédige un compte-rendu pour le journal de ta classe.

Tu as voyagé comment?
Avec qui?
Vous êtes arrivé(e)s à quelle heure?
Quel temps faisait-il?
Qu'est-ce que vous avez fait?
Qu'est-ce que vous avez vu?
Qu'est-ce que vous n'avez pas fait/vu?

Qu'est-ce que vous avez mangé?
Qu'est-ce que vous avez bu?
Où est-ce que vous êtes allé(e)s?
Qu'est-ce que vous avez acheté?
Vous êtes rentré(e)s quand?
C'était comment?

6 Jeu de rôles: Au magasin de souvenirs

> *Flash langue*
>
> d'abord, on a (vu)/est (allés) ...
>   = *first, we (saw/went)* ...
> puis/ensuite = *then*
> après avoir (visité/fait) ..., on ...
>   = *after (visiting/doing) ..., we* ...
> finalement = *finally*

Est-ce que vous vendez des ...?

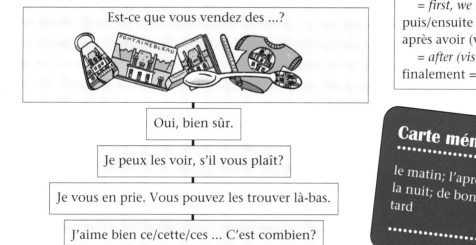

Oui, bien sûr.

Je peux les voir, s'il vous plaît?

Je vous en prie. Vous pouvez les trouver là-bas.

J'aime bien ce/cette/ces ... C'est combien?

... F.

Bon, je la/le/les prends.

Ah non, c'est trop cher. Je ne l'/les achète pas.

Carte mémoire

le matin; l'après-midi; le soir;
la nuit; de bonne heure; tôt;
tard

Pause grammaire 2.5 〉➤ Entraînement à la page 119 ➤

Personal pronouns: direct objects (*Pronoms personnels compléments directs*)

subject	direct object	subject	direct object
je	me/m'	nous	nous
tu	te/t'	vous	vous
il	le/l'	ils	les
elle	la/l'	elles	les

Talking about people or things that have already been mentioned. Notice how the pronoun goes in front of the verb:

Elle vous aime. – *She loves you.*
Je la prends. – *I am taking it.*

Elle ne vous aime pas. – *She doesn't love you.*
Je ne les prends pas. – *I'm not taking them.*

Chez toi
Ecris deux cartes postales de Fontainebleau   **a** à tes parents   **b** à ton ami(e).

Bilan

Check that you can ...

1 talk about where you and others live.

• Say which country you live in	J'habite en Angleterre/Ecosse.
• Say which country somebody else lives in	Il habite au Japon.
	Elle habite aux Etats-Unis.
• Give more details	J'habite/Il habite dans une ville/
	en banlieue/à la campagne.

2 describe a town or village.

• Say what sort of place it is	C'est une grande ville industrielle.
	C'est un petit village tranquille.
• Describe some of its features	C'est une belle région.
• Say what there is to see	Il y a un beau château, ...
• Name ten places in a large town	magasins; école; marché; rivière;
	pont; musée; bibliothèque; église;
	banque; poste
• List three things that aren't there	Il n'y a pas de camping/parc/forêt
• Compare it with where you live	Chez nous il y a plus de .../moins de ...

3 say what things used to be like. Say

• what there was 50 years ago	Il y a cinquante ans, il y avait ...
and what there wasn't	Il n'y avait pas de ...
• what people used to do	On faisait ..., on mangeait ..., on buvait ...
• what you used to do when you were small	Quand j'étais petit(e), je jouais ...
• what people used to have to do	On devait cultiver des légumes.
	Il fallait aller à pied.
• what you used to have to do	Je devais me coucher à huit heures.

4 talk about advantages and disadvantages.

• List advantages and disadvantages	Les avantages sont que ...
	Les inconvénients sont que ...
• Make comparisons	Il y a plus de circulation.
	Il y avait moins de touristes.
• Say what no longer happens	On ne cuisine plus au feu de bois.
• Say that people only do/did something	Ils ne buvaient que de la bière.
• Say that people never do/did something	Ils ne se lavaient jamais.

Contrôle révision

A Ecoute: Où habitent-ils? C'est comment? Copie et remplis la grille.

	Pays	Domicile	Avantages	Inconvénients
1				
2				
3				

B Parle: Choisis une personne et prépare une présentation.

Nom: **Kenji**
Pays: **Japon**
Quand il était petit:

Maintenant:

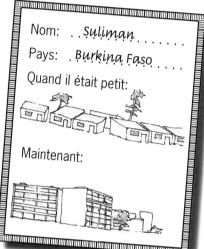

Nom: Suliman
Pays: Burkina Faso
Quand il était petit:

Maintenant:

Nom: Véronique
Pays: Guadeloupe
Quand elle était petite:

Maintenant:

C Avant et maintenant.
Lis le texte et trouve cinq différences.

Exemple:
Quand elle était petite, elle habitait ...
Maintenant, elle habite ...
Il n'y avait pas de ...
Maintenant, il y a ...

Quand ma grand-mère était petite, elle habitait dans un petit village à la campagne. Sa maison était déjà très vieille. Elle avait trois grandes pièces: une grande cuisine en bas et deux chambres au premier étage, une pour ses parents et une pour les cinq enfants. Son père avait des vaches, un cochon et des poules et on cultivait des légumes et des fruits dans le jardin. Sa mère faisait le pain elle-même.

Pour aller en ville ou à l'école, ma grand-mère devait faire huit kilomètres à pied, parce qu'il n'y avait pas de bus. Pour aider sa mère, elle devait laver le linge à la main dans le grand bac commun du village. Il n'y avait pas de machine à laver. Maintenant, elle habite dans un petit appartement dans un immeuble moderne en banlieue. Elle va en ville en bus et elle a plein d'appareils électriques (une machine à laver, une télévision, etc.), mais elle n'a pas de jardin.

D Ecris un paragraphe.
Décris six choses que tu faisais quand tu étais petit(e) et que tu ne fais plus.

3 Bien dans ma peau

A On est ce qu'on mange

Les Aliments

	ALIMENTS		COMPOSANT PRINCIPAL	ROLE
	lait fromage yaourt		Calcium Protéines	bâtit/bâtissent le corps et les os
	viande poisson	oeufs légumes secs	Protéines	nourrit/nourrissent les muscles et les organes
	légumes verts fruits		Vitamines Fibres	protège(nt) le corps et favorise(nt) la digestion
	pain pâtes riz céréales	farine pommes de terre légumes secs	Glucides	donne(nt) de l'énergie et de la graisse
	beurre huiles	charcuterie noix	Graisses	donne(nt) de l'énergie et de la graisse
	sucre chocolat confiture	bonbons gâteaux boissons sucrées	Sucre	donne(nt) de l'énergie et de la graisse
	eau jus de fruits bouillons	soupes tisanes	Liquides	apporte(nt) l'eau

1 a Qu'est-ce que c'est? Fais la liste.

Exemple: 1 C'est un poulet.

1   2   3   4   5   6   7   8   9   10   11 12

b C'est bon pour la santé ou pas? Pourquoi?

Le poulet est/n'est pas bon	parce qu'	il apporte	du/de la/de l'/des ...
Les bonbons sont/ne sont pas bons		ils apportent	trop de ...

c Ecoute et vérifie. D'accord ou pas?

2 A deux: En manges-tu? Prépare des questions. Pose tes questions à un(e) partenaire et note les réponses.

Exemple: Manges-tu du poulet?   Oui, j'en mange. C'est bon pour la santé.
        Manges-tu du sucre?   Non. Je n'en mange pas. Ce n'est pas bon pour la santé.

Pause grammaire 3.1   ⟩━Entraînement à la page 120⟩

Partitive articles and the pronoun 'en' (*Les articles partitifs et le pronom* **en**)

Du, *de la*, *de l'*, *des* translate 'some' or 'any' when used in front of a noun.
En translates 'some of it' or 'any of it'.

Rappel: *m*   *f*   *pl*
    du/de l'   de la/de l'   des

Veux-tu du poulet? – *Do you want some chicken?*
Oui, j'en veux. – *Yes, I would like some (of it).*
Non, je n'en veux pas. – *No, I don't want any (of it).*

---

3 Ecoute: Qu'est-ce qu'ils ont mangé hier? (1–5)

petit déjeuner	repas de midi	dîner

Chez toi

Manges-tu sainement ou pas?

Exemple: Je mange sainement.
        Je mange beaucoup de .../peu de ...
        Je ne mange pas sainement.
        Je mange trop de .../Je ne mange
         pas assez de ...
        Ça dépend. Quelquefois, je ...

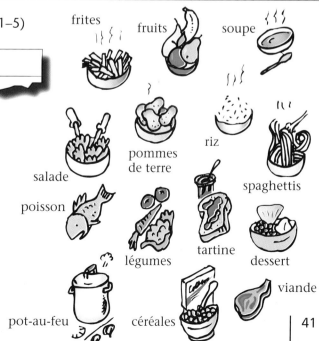

frites   fruits   soupe

riz

salade   pommes de terre   spaghettis

poisson   tartine   dessert

légumes   viande

pot-au-feu   céréales

41

A *Parlez-moi de régime*

Dix conseils pour rester en forme

1 Mangez bien. Ne mangez pas trop de graisses ou de glucides. Mangez plutôt des fruits et des légumes. *B*

2 Buvez beaucoup d'eau. Evitez les boissons très sucrées et gazeuses. *G*

3 Faites du sport. Mais attention: ne faites pas trop d'exercice si vous n'en avez pas l'habitude. Il faut commencer doucement. *J*

4 Marchez davantage. Au lieu de prendre le bus, allez à pied ou à bicyclette. *D*

5 Evitez le stress. Faites ce qu'il faut faire tout de suite, comme les devoirs, par exemple. *I A*

6 Ne fumez pas. C'est mauvais pour la santé et c'est un gaspillage d'argent.

7 Passez plus de temps en plein air. Respirez bien. Oxygénez-vous! Mais ne passez pas trop de temps au soleil sans mettre de crème solaire ou de chapeau. *H E*

8 Ne buvez pas d'alcool. C'est mauvais pour la santé.

9 Ne passez pas trop de temps devant le petit écran. C'est mauvais pour les yeux. *C*

10 Couchez-vous de bonne heure. On dort mieux avant minuit et on est en forme toute la journée. *F*

4 C'est quel conseil? Fais correspondre les conseils et les images.

A   B   C   D   E

F   G   H   I   J

5 Radio Jeunes! 'Sylvie vous écoute. Aujourd'hui: le régime et la forme.'

a Ecoute: Ils ont quel problème? (1–6)

A a toujours faim	**B** ne peut pas suivre de régime	**C** a des boutons
D n'aime pas les légumes	**E** a faim quand il fait du sport	**F** est toujours fatigué(e)

b Ecoute encore une fois et note: Qu'est-ce que Sylvie leur conseille?

Exemple: Sylvie lui dit qu'il faut …

a manger moins vite	**b** se coucher plus tôt	**c** manger de la soupe aux légumes
d manger des bananes	**e** manger du pain	**f** faire du sport

---

Pause grammaire 3.2　　　　　　　　　　　　　⟩ Entraînement à la page 120 ⟩

Personal pronouns: indirect objects (*Pronoms personnels compléments indirects*)

subject	ind. object	subject	ind. object
je	me/m'	nous	nous
tu	te/t'	vous	vous
il/elle	lui	ils/elles	leur

These translate '(**to**) me/you/him/her/us/them'. Notice how the pronoun normally goes in front of the verb in French:

Je **te** conseille – *I advise you (I give advice to you)*
Elle **lui** conseille – *She advises him/her (She gives advice to him/her)*
Il **m'**a conseillé de manger moins de frites. – *He advised me to eat fewer chips.*
Je **lui** ai dit de manger plus de fruits. – *I told him/her to eat more fruit.*
On **leur** a conseillé de faire plus de sport. – *They were advised to do more sport.*
On **lui** a dit de se coucher tôt. – *She/He was told to go to bed early.*

---

6 Ils ont quels problèmes? Qu'est-ce que tu leur conseilles?

Exemple: Il/Elle … . Je lui conseille de …

 1

 2

 3

 4

 5

 6

Il/Elle mange/boit/fait/passe
beaucoup de – *lots of*
peu de – *little/not much/not many*
trop de – *too much/too many*
pas assez de – *too little/too few*
Il faut manger/boire/faire/passer
　plus/moins de – *more/less*

C'est **meilleur** pour la santé!
– *It's better for your health!*

Chez toi
Tu téléphones à Sylvie. Qu'est-ce
que tu vas lui dire? Ecris sa réponse.

Sylvie? J'ai un problème …

Je te conseille de …

A C'est la forme!

7 Qui fait le plus de sport? Range les textes dans l'ordre décroissant.
Put the texts in descending order.
(Le numéro un est la personne qui fait le plus de sport.)

Exemple: 1 Jeanne, 2 ...

Nadine — Je fais du foot tous les samedis.

Je joue au tennis trois fois par semaine.
Aziz

Chantal — Je nage tous les deux jours.

Je fais de l'aérobic tous les jours sauf le dimanche.
Guy

Je fais de la GRS deux fois par semaine.
Marianne

Véronique — Je fais du cyclisme chaque jour.
Jeanne

Je ne fais jamais de sport.
Paul

Je fais du karaté une fois par semaine.
Daniel

Quelquefois, je fais du jogging, mais pas souvent!

Flash langue

toujours = *always*
tous les samedis = *every Saturday*
tous les deux jours = *every other day*
une/deux fois par semaine = *once/twice a week*
chaque jour = *every day*
régulièrement = *regularly*
souvent = *often*
normalement = *usually*
quelquefois = *sometimes*
rarement = *rarely*
seulement = *only*
jamais = *never*
ça dépend – *it depends*
quand j'y pense = *when I think of it*
à chaque fois que = *every time*

8 Complète les phrases.

1 Je ne fais jamais de ...
2 Je ... de temps en temps.
3 Je range ma chambre ...
4 Quelquefois, je ...
5 Ma mère crie à chaque fois que je ...
6 Je vais au cinéma ...
7 Je ... souvent.
8 Quand j'y pense, je ...
9 Normalement, je ...
10 Je ... seulement le week-end.
11 Le prof de ... porte toujours ...
12 On mange ... chaque jour.

9 Ecoute et note: Que font-ils pour rester en forme? (1–5)

Exemple: 1 jogging 2×, …

10 Lis l'interview et réponds aux questions.

UNE INTERVIEW AVEC
Jérôme Duval

Quel sport faites-vous?

Je fais de la danse classique. Comme sport, c'est plus exigeant que le foot!

Combien d'heures d'entraînement faites-vous par semaine?

Chaque jour, je fais deux heures chez moi. J'ai une barre dans la cave, et un grand miroir pour voir si je travaille bien. Et trois fois par semaine, je fais deux heures à l'école de danse.

Est-ce qu'il faut beaucoup de discipline?

Oui, bien sûr, mais je dois m'entraîner si je veux réussir.

Qu'est-ce qui vous manque le plus?

Il faut toujours être en forme, alors pas de frites, et je dois me coucher de bonne heure. J'aimerais sortir avec mes copains le soir, mais après l'entraînement, je suis trop fatigué.

Est-ce qu'il y a d'autres garçons dans votre classe?

Nous sommes deux. Il y a neuf filles.

Et qu'est-ce que vous aimez le plus dans la danse?

J'aime la musique et le mouvement. Avec la danse on a les deux, et puis il y a les filles aussi! J'aime mieux m'entraîner avec de jolies filles qu'avec une équipe de rugby!

Voudriez-vous en faire votre métier?

Pourquoi pas?

---

1 Quel sport fait Jérôme?
2 Combien d'heures d'entraînement fait-il par semaine?
3 Où s'entraîne-t-il?
4 Combien d'étudiants y a-t-il dans sa classe?
5 Quels sont les avantages et les inconvénients de ce sport, selon lui?
6 Et selon toi?
7 Qu'est-ce qu'il veut faire dans la vie?
8 Voudrais-tu faire ce sport? Pourquoi?/ Pourquoi pas?

11 a Interview: Fais correspondre les questions et les réponses.

1 Manges-tu sainement?
2 Est-ce que tu te couches de bonne heure?
3 Fais-tu du sport?
4 Où fais-tu ça?
5 Combien de fois par semaine?
6 Qu'est-ce que tu fais d'autre pour rester en forme?

a Au collège et dans le quartier.
b Oui, je joue au foot et je fais du cyclisme.
c Normalement, oui, je mange beaucoup de fruits.
d Le foot, c'est deux fois par semaine. Le cyclisme, ça dépend du temps qu'il fait.
e Je ne fume plus et je ne bois pas d'alcool.
f Oui, vers dix heures.

b Prépare tes réponses aux questions.

c Interviewe un(e) partenaire. Note les réponses.

Chez toi

Rédige un compte-rendu de l'interview.

Exemple: Il/Elle mange sainement parce qu'il/elle …
Il/Elle se couche à …/fait/mange …

B Mon corps à moi

1 A deux.

 a Combien de parties du corps pouvez-vous nommer en deux minutes?

 b Ecoutez et vérifiez. Cochez les mots dans votre liste et ajoutez les mots que vous n'avez pas trouvés.

2 Lis l'article et réponds aux questions.

L'échauffement

Avant de commencer n'importe quel sport, il faut préparer son corps. L'échauffement comporte deux étapes:

1 l'échauffement des articulations
2 la séance d'aérobic.

1 L'échauffement des articulations

Doucement! Si on fait des mouvements trop rapides ou brusques, on peut endommager les muscles!

Les pieds: Commencez par les doigts de pied. Faites bouger vos doigts de pied.

Les chevilles: Faites de petits mouvements circulaires dans le sens des aiguilles d'une montre, puis dans le sens inverse.

Les genoux: Dégourdissez-vous les jambes et faites bouger doucement les articulations.

Les hanches: Roulez doucement les hanches.

La taille: Ecartez légèrement les jambes et faites tourner la taille d'un côté et de l'autre.

Le cou: Levez et baissez la tête. Essayez de toucher l'épaule avec l'oreille, mais faites attention à ne pas hausser les épaules. Ne roulez pas la tête!

Les épaules: Faites pivoter les épaules.

Les bras: Etendez les bras et faites bouger les articulations des coudes.

Les poignets: Faites rouler les poignets.

Les mains: Ouvrez et fermez les mains. Etendez les doigts.

2 La séance d'aérobic

Après l'échauffement des articulations, passez à l'aérobic et faites du jogging ou un autre exercice à mouvements rapides pendant cinq minutes, pour augmenter la circulation cardio-vasculaire et échauffer le corps et les muscles.

1 Pourquoi faut-il faire des exercices avant de commencer l'entraînement?
2 Par quelle sorte d'exercices doit-on commencer?
3 Pourquoi faut-il faire ces exercices doucement?
4 Quelles articulations est-ce qu'on peut rouler?
5 Quelles articulations est-ce qu'on ne doit pas rouler?

Pause grammaire 3.3

Entraînement à la page 121

Saying what is wrong with you

You use *avoir* for these expressions:

present	*perfect*	*imperfect*
J'ai froid	J'ai eu froid	J'avais froid
Il a mal à la gorge	Il a eu mal à la gorge	Il avait mal à la gorge
Tu as faim	Tu as eu faim	Tu avais faim
Ils ont soif	Ils ont eu soif	Ils avaient soif

Other expressions with *avoir*:

avoir chaud, avoir mal au coeur, avoir le rhume des foins, avoir mal à la tête, avoir mal aux dents, avoir la grippe, avoir le nez qui coule, avoir de la fièvre.

You use a reflexive verb to say what you have done to yourself. Remember that in the perfect tense *être* is used with all reflexive verbs (see Pause grammaire 1.6, page 17):

Je me suis fait mal au genou. – *I've hurt my knee.*
Il s'est coupé la main. – *He's cut his hand.*
Elle s'est cassé la jambe. – *She's broken her leg.*
Je me suis cassé la cheville. – *I broke my ankle.*
Elle s'est foulé le poignet. – *She sprained her wrist.*
Il s'est brûlé le dos. – *He burned his back.*

3 **a** Ecoute et note: Qu'est-ce qu'ils ont? Depuis combien de temps? (1–7)

Exemple: 1 dents, 2 jours

b Ecris des phrases.

Exemple: 1 Il a mal aux dents depuis deux jours.

4 Trouve le bon conseil.

1 Je me suis foulé la cheville.
2 J'ai mal aux dents.
3 J'ai mal à la tête.
4 Je me suis fait mal aux genoux.
5 J'ai mal au dos.
6 J'ai froid aux mains.

A Il faut se coucher plus tôt et ne pas passer des heures à travailler sur l'ordinateur.

B Il faut mieux échauffer le corps avant de commencer l'entraînement.

C Il ne faut pas passer toute la soirée accroupi devant l'écran, à jouer aux jeux vidéo.

D Il faut les brosser après chaque repas.

E Il faut porter des gants quand vous sortez.

F Il faut porter des genouillères quand vous faites du skate.

Chez toi

Qu'est-ce qui t'est arrivé pendant ton enfance?

Exemple: Quand j'avais ... ans, je suis tombé(e) et je me suis fait mal au/à la/à l'/aux ...
j'ai eu une grippe/la rougeole/la rubéole ...

B Avez-vous une excuse?

5 **a** Ils ne sont pas venus au collège. Pourquoi?
Fais correspondre les lettres d'absence et les images.

1 *pour excuser l'absence de ma fille Aline la semaine dernière. Elle avait de la fièvre et mal à la gorge*

2 Jean était absent hier parce qu'il avait mal aux dents. Il doit retourner chez le dentiste lundi prochain à dix heures.

3 Hier soir, Sandrine est tombée dans l'escalier et s'est foulé la cheville. Est-ce qu'elle peut être dispensée de la leçon d'éducation physique? Sa cheville lui fait toujours mal et

4 j'étais malade et Françoise a dû m'aider à la maison et s'occuper du bébé.

5 Marc a été renversé par une voiture et il s'est cassé une jambe.

6 Benjamin a la rougeole et il ne peut pas venir au collège cette semaine

b Ecoute: Qui parle? (1–6)

6 a Ecoute et note: Ils ne peuvent pas venir à la boum. Pourquoi? (1–8)

b Ecris leurs excuses.

> **Exemple:** 1 Il ne peut pas venir, parce qu'il s'est cassé …

7 Invente des excuses!

1 Tu n'as pas fait tes devoirs.
2 Tu es arrivé(e) tard au collège.
3 Tu as été absent(e) pendant deux jours.
4 Tu n'es pas allé(e) au cinéma avec Jules.
5 Tu n'es pas sorti(e) avec Ginette.
6 Tu n'as pas fait de balade à vélo avec Sophie.
7 Tu as été absent(e) de la leçon d'éducation physique.

Je suis …, Je n'ai pas …, Je n'ai pas pu …,	parce que	je me suis cassé/foulé … je suis tombé(e) … j'ai dû … j'avais mal …

Flash langue

More on **devoir**, 'to have to'

present

je dois	nous devons
tu dois	vous devez
il doit	ils doivent

perfect
j'ai dû = *I had to*

imperfect
je devais = *I used to have to*

Chez toi

Ecris une excuse. Pourquoi n'es-tu pas allé(e) à la boum chez Mélissa?

Chère Mélissa,

Je n'ai pas pu venir à ta boum hier soir parce que j'ai dû faire les courses pour maman. J'ai dû aller en ville chercher de la crème fraîche et des biscuits pour un dessert spécial parce que c'était l'anniversaire de ma grand-mère!

En rentrant, j'ai raté le bus de dix-sept heures vingt parce qu'il n'y a qu'un bus toutes les heures. Je suis montée dans le bus mais le bus est tombé en panne. Tout le monde a dû descendre et je suis rentrée à pied parce qu'il n'y avait plus de bus.

Quand je suis rentrée, j'avais des ampoules aux pieds et je ne pouvais plus sortir.

Bises, Sophie

ampoules = *blisters*

49

B Le courrier des lecteurs

8 a Tu travailles pour la revue 'Bonne Vie'.
Lis les lettres suivantes et choisis la bonne réponse à chacune.

A Je n'ai pas de copine. Tous mes amis ont une petite copine. Je voudrais une petite copine aussi, mais je ne sais pas quoi faire. Je n'ose pas m'approcher des filles parce que j'ai peur qu'elles se moquent de moi. Je suis assez petit. J'en ai marre de ma solitude.

Marc P., Nice

B J'ai 14 ans et depuis deux ans, j'ai le visage et le dos couverts de boutons. C'est horrible et je ne peux pas m'empêcher de les toucher. Ma mère me dit que ça passera, mais je commence à avoir des marques dans la peau.

Jacques S., Toulouse

C Je pèse 59 kilos et mesure 1,60 m. Tout le monde se moque de moi et je sais que je suis trop grosse. Qu'en pensez-vous? Qu'est-ce que je peux faire? Aidez-moi.

Aline F., Amiens

D J'ai commencé à fumer quand j'avais onze ans. Maintenant, je fume 5 à 8 cigarettes par jour. Le soir, à la sortie du collège, tous mes copains fument. Si j'arrête de fumer, ils vont se moquer de moi. Je veux m'arrêter, mais je ne veux pas perdre mes copains.

Sandra V., Bordeaux

E Je prends une douche chaque jour, mais je n'ai pas de copains et on me dit toujours que je sens mauvais. J'ai même essayé de masquer mon odeur avec le parfum de ma mère, mais ça ne marche pas.

Jeanne B., Lyon

b Ecoute: Qui parle? (1–5)

9 a Ecris une lettre. Qu'est-ce qui ne va pas?

> Mes parents m'énervent!

> J'ai la figure pleine de boutons.

> Ça m'embête quand …

> J'ai un problème avec …

b A deux: Echangez vos lettres avec un(e) partenaire et écrivez une réponse en donnant des conseils.

Exemples:
- faire un régime/des exercices/du sport/du yoga
- manger beaucoup de fruits et de légumes
- lire un roman; sucer des bonbons à la menthe; mâcher du chewing-gum
- boire du lait chaud; prendre un bain

c Choisis des lettres et des réponses pour: **1** ton journal; **2** le journal de la classe.

BONNE VIE vous répond

1 La bonne moyenne entre la taille et le poids est une différence de 12 (12 kilos de moins que ta taille): (1,)60 m − 59 = 1 kilo. Tu as une différence d'un kilo seulement, ça veut dire que tu as 11 kilos de trop. Tu as besoin de réduire ta consommation de choses sucrées et de matières grasses, et n'oublie pas de boire un litre d'eau par jour. Tu peux faire aussi un peu de gymnastique tous les jours.

2 Quand tu prends ta douche, il faut utiliser un savon déodorant assez fort. Frotte bien la peau, surtout sous les bras, et mets un déodorant en sortant de la douche. Ne mets pas de parfum. Ça ne sert à rien.

3 Tu ne dois pas désespérer, être petit n'est pas une calamité. Il y a aussi des filles petites qui aiment bien les garçons de leur taille. Par ailleurs, il n'y a pas que le physique qui compte. Il faut surtout être gentil et drôle, les filles adorent ça!

4 Je crois qu'il faut avoir le courage d'agir sans te préoccuper de ce que vont penser tes copains. Libre à eux de fumer et de s'intoxiquer si cela leur plaît! Mais toi, si tu préfères arrêter, tu devrais essayer. Qui sait si tes copains ne suivront pas ton exemple!

5 Le premier conseil est d'arrêter tout de suite de toucher à tes boutons. Tu en vois déjà les conséquences: des marques sur le visage! Il faut consulter sans tarder ton médecin ou un dermatologue.

10 Jeu-test: Quelle sorte de personne es-tu?

Ça t'énerve quand ... ?

	Beaucoup (3 points)	Un peu (2 points)	Pas du tout (1 point)
1 tu trouves le tube de dentifrice sans bouchon	. . . .	. . . .	. . . .
2 tu ne trouves pas le tube de dentifrice	. . . .	. . . .	. . . .
3 la bouteille de shampooing est vide	. . . .	. . . .	. . . .
4 ton frère/ta soeur vient dans ta chambre	. . . .	. . . .	. . . .
5 tu dois ranger ta chambre	. . . .	. . . .	. . . .
6 quelqu'un prend tes affaires sans te demander	. . . .	. . . .	. . . .
7 ta mère te dit: Tu ne sors pas habillé(e) comme ça	. . . .	. . . .	. . . .
8 ton père te dit: Il faut rentrer avant neuf heures	. . . .	. . . .	. . . .
9 il faut sortir le chien	. . . .	. . . .	. . . .
10 il n'y a rien à boire dans le frigo	. . . .	. . . .	. . . .

26+ points: Tu t'énerves trop vite. Calme-toi!
18+ points: Félicitations! Tu te sens bien dans ta peau.
moins de 18 points: Tu es trop relax. Bouge-toi un peu!

Chez toi
Ecris un jeu-test pour le journal de la classe.

 **C** *Sa majesté est servie!*

Menu..

Potage

• *Soupe aux chapons* • *Soupe aux perdrix et aux choux* •

Petit potage

• *Bisque aux pigeonneaux* • *Petit potage au chapon haché* • *Petit potage aux perdrix* •

Entrée

• *Quartier de veau* • *Tourte aux pigeonneaux* •

Petite entrée

• *6 poulets fricassés* • *3 perdrix au jus* • *6 tourtes à la braise* • *2 dindons grillés* •
• *3 poulets gras aux truffes* •

Rôti

• *2 chapons gras* • *9 poulets* • *9 pigeons* • *2 étourneaux* •
• *6 perdrix* • *4 tourtes* •

Dessert

• *2 bassins de porcelaine remplis de fruits* •
• *2 bassins de confiture sèche* •
• *4 bassins de compotes ou confitures liquides* •

Voici le menu que se faisait servir le roi Louis XIV (surnommé le Roi-Soleil) au déjeuner. Il n'y avait pas de salle à manger. Le repas était servi sur une table dans la chambre du roi ou dans une antichambre. Les officiers y assistaient debout. Seul le roi et Monsieur, le frère du roi, avaient le droit de s'asseoir. Evidemment, ils ne mangeaient pas tout. On revendait les restes du repas aux portes du château.

"J'ai souvent vu le roi manger quatre assiettées de soupes diverses, un faisan entier, une perdrix, une grande assiettée de salade, du mouton au jus et à l'ail, deux bonnes tranches de jambon, une assiettée de pâtisserie, et puis encore du fruit." La Palatine

A sa mort, on a trouvé que le roi avait un estomac deux fois plus gros que la moyenne.

la bisque =	*thick soup*
le chapon =	*chicken*
l'étourneau (m) =	*starling*
le faisan =	*pheasant*
la perdrix =	*partridge*
le pigeonneau =	*pigeon*
la tourte =	*pie*
les truffes =	*truffles (type of fungus)*
le veau =	*veal*

1 C'est pour quel plat? Fais la liste.

Exemple: Il y a des perdrix pour le potage, pour ...

14 perdrix

5 chapons

2 dindons

2 étourneaux

27 pigeonneaux

12 poulets

1 quartier de veau

des fruits

des confitures

2 Vrai ou faux?

1 Le roi était végétarien.
2 Il mangeait beaucoup.
3 Il mangeait sainement.
4 Pour sa digestion, il devait rester debout pendant le repas.
5 Il ne mangeait pas de salade.
6 Son entourage devait rester debout pendant le repas.
7 Il ne mangeait pas de choses sucrées.
8 Après le repas, on vendait les restes.

3 Ecoute: Qu'est-ce qu'ils en pensent? (1–5)

Exemple: 1 perdrix c, c

les escargots

a Miam! J'aime ça!

b Beurk! Je n'aime pas ça.

c Je ne sais pas, je n'en ai jamais mangé.

4 Interview

a Prépare tes réponses.

b Pose les questions à un(e) partenaire et note les réponses.

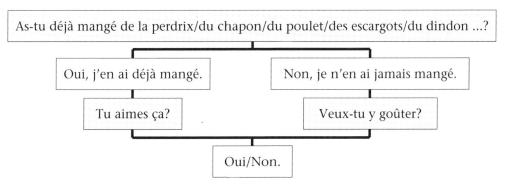

As-tu déjà mangé de la perdrix/du chapon/du poulet/des escargots/du dindon ...?

Oui, j'en ai déjà mangé.

Non, je n'en ai jamais mangé.

Tu aimes ça?

Veux-tu y goûter?

Oui/Non.

Chez toi

Donne des conseils au roi. (Il est mort à 77 ans!)

Exemple: Il faut manger plus/moins de ...

C La journée du roi

8h00	*Lever du roi*
9h00	*Petit déjeuner*
9h30	*Rendez-vous avec les ministres dans le cabinet du conseil*
10h00	*Messe*
11h00	*Conseil et audiences*

13h00	*Déjeuner*
14h00	*Chasse ou promenade*
17h00	*Retour*
19h00	*Musique et jeux*
22h00	*Souper avec les membres de la famille royale*
23h00	*Coucher du roi*

5 Que faisait-il? Rédige un résumé.

Exemple: Il se levait à ...

6 A deux.

a Décidez de ce qui existait au temps du Roi-Soleil.

b Ecoutez et vérifiez.

le thé   les tomates   la salle de bains   la calculette   les taxis

les glaces   le savon   le système métrique   la salle à manger   le microscope

les timbres   le thermomètre médical   la pipe   le chocolat

les pommes de terre   le chauffage central   les miroirs   la bière

7 A deux: Pas de cinéma, pas de télé!

a Quels passe-temps étaient permis seulement aux hommes? Faites la liste.

b Ecoutez et vérifiez.

la chasse   la danse   le jeu de paume   les échecs   l'escrime

les cartes   la musique   le théâtre   les promenades dans les jardins   les dés

Chez toi

Imagine que tu vivais au temps du Roi-Soleil.
Raconte une de tes journée dans ton journal intime.

A quelle heure est-ce que tu te levais?   Le matin, je me levais à ...
Qu'est-ce que tu mangeais et buvais?   Je mangeais ...
Comment passais-tu ta journée?   On faisait ...
Qu'est-ce que tu faisais pendant ton temps libre?   On jouait ...

Bilan

Check that you can ...

1 talk about food.

- Ask people if they eat something
- Say that you eat or don't eat something
- Say whether things are good for you and why
- Say that you have never eaten something

Manges-tu du poulet/de la salade?
Oui, j'en mange./Non, je n'en mange pas.
C'est bon/Ce n'est pas bon pour la santé
parce qu'il/elle apporte beaucoup de vitamines.
Je n'en ai jamais mangé.

2 give advice.

- Tell people what to do or not to do
- Say that they should eat/drink more or less of something

- Advise them to avoid something or to do something more

Fai(te)s du sport. Ne fume(z) pas.
Il faut boire beaucoup/plus de ...
Il faut manger peu/moins de ...
Il ne faut pas manger trop de ...
Je te conseille d'éviter les boissons
sucrées/de marcher davantage.

3 talk about how often you do something. Say

- what you always/frequently do
- what you do regularly

- what you rarely/sometimes do

- what you never do
- that it depends, or that you do it when you remember

Je mange toujours/souvent des céréales.
Je m'entraîne chaque jour/tous les deux jours.
Je vais au cinéma une fois par semaine.
Je joue rarement aux échecs.
Je sors seulement le week-end.
Je ne bois jamais d'alcool.
Ça dépend.
Quand je m'en souviens.

4 talk about your body.

- Name ten parts of the body
- Say that something hurts
- Say that you are not well
- Explain what is wrong with you

- Explain what was wrong with you
- Say what you have done to yourself

les épaules; le bras; la main; ...
J'ai mal à la gorge/au ventre/aux dents.
Je suis malade.
J'ai de la fièvre.
J'ai froid/chaud/faim/soif.
J'avais la grippe.
Je me suis cassé/brûlé la jambe.
Je me suis foulé la cheville/le poignet.

5 make excuses.

- Say why you couldn't come
- Say why you were absent
- Say why you won't be able to go out
- Explain that you have to or had to do something

Je n'ai pas pu venir parce que j'avais ...
J'étais absent(e) parce que je me suis cassé ...
Je ne peux pas sortir parce que ...
Je dois faire mes devoirs.
J'ai dû ranger ma chambre.

6 express an opinion:

A mon/notre avis ...

Contrôle révision

A Ecoute: Que font-ils pour rester en forme? Copie et remplis la grille.

	Nourriture	Sport	Autre
1			
2			
3			

B Parle.

a Explique pourquoi ils ne sont pas venus à la boum.

Jérôme   Sybille   François   Pierre   Séverine

b Tu ne veux pas aller à la boum. Invente au moins trois excuses.

C Lis le texte et réponds aux questions.

Le lait: carburant naturel des jeunes

Le lait est essentiel aux jeunes. La consommation de lait journalière d'un ado doit être de ³/₄ litre. Le lait apporte des protéines, de la vitamine B12 et du calcium. Il apporte aussi des vitamines A et D.

Buvez du lait demi-écrémé ou du chocolat chaud au petit déj. Mangez du fromage ou un yaourt à la récré et comme dessert à midi. Ne manquez jamais une occasion de boire du lait ou de manger des produits laitiers, à chaque repas bien sûr, mais aussi avant et après le sport. Même au fast-food, mieux vaut préférer le lait au soda. Le premier est plein d'éléments indispensables, tandis que le second est plein de sucres. Pourquoi ne pas boire un milk-shake ou prendre une glace en dessert?

Si vous ne buvez pas de lait, vous pouvez en manger! 500 ml de lait équivaut à quatre yaourts ou à 600 g de fromage blanc, 160 g de camembert ou 70 g de gruyère.

1 Combien de lait faut-il boire chaque jour quand on est adolescent?
2 Le lait apporte quelles vitamines?
3 Quelle sorte de lait est recommandée?
4 Qu'est-ce que l'article conseille de manger à l'école?
5 Est-ce que les sodas sont bons pour la santé? Pourquoi?
6 Quel dessert doit-on choisir dans un fast-food?
7 Quel conseil donne l'article à ceux qui n'aiment pas boire de lait?
8 Combien de yaourts faut-il manger pour remplacer un demi-litre de lait?

> tandis que = *whereas*

D Ecris: Pourquoi n'ont-ils pas pu aller au cours de sport? Rédige leurs lettres d'excuse.

Sandrine   Sébastien   Noémi   Benjamin

4 Chic alors!

A La mode

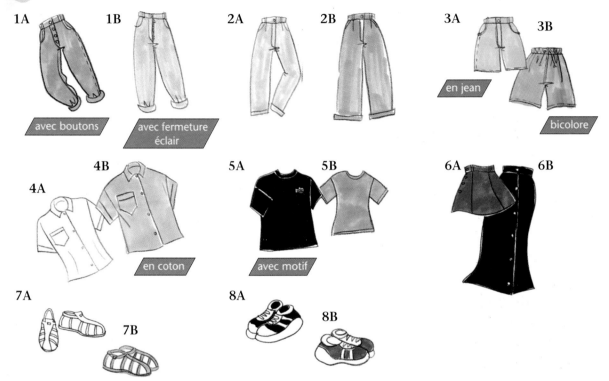

1A avec boutons
1B avec fermeture éclair
2A
2B
3A en jean
3B bicolore
4A
4B en coton
5A avec motif
5B
6A
6B
7A
7B
8A
8B

Pause grammaire 4.1 Entraînement à la page 122

Rappel: Colour adjectives (*Les adjectifs de couleur*)
Colour adjectives come AFTER the noun. Most of them agree in gender and number with the noun they describe:

m sing	f sing	m pl	f pl
un jean noir	une robe noire	des gants noirs	des bottes noires
un short blanc	une jupe blanche	des mocassins blancs	des sandales blanches

Colour adjectives made up of two parts and a few that are derived from nouns do not agree:

des gants bleu marine; une robe bleu foncé/clair/pâle; des yeux marron

---

1 **a** Fais la liste des vêtements que tu préfères.

Exemple: 1 Je préfère le jean bleu marine avec boutons.

b Pourquoi? Justifie ta réponse.

Je préfère ...	parce que	j'aime/je préfère la couleur
	parce qu'	il/elle est plus/moins grand(e)/large/étroit(e)/décontracté(e)/... ils/elles sont plus à la mode/confortables

2 a Ecoute et note: Quels vêtements préfèrent Gilles et Annette? Pourquoi?

Exemple: 1 Gilles: B, plus confortable

b Rédige un résumé.

Exemple: Gilles préfère le/la ... parce qu'il/elle est ...
les ... parce qu'ils/elles sont ...

3 A deux: Interviewez-vous à tour de rôle. Etes-vous d'accord ou pas?

Exemple: ▲ Quel jean préfères-tu?
● Je préfère le jean ...
▲ Moi aussi./Pas moi, je préfère ...

Pause grammaire 4.2 〉▶ Entraînement à la page 122 ⟩

How to translate 'which?'

m sing	*f sing*	*m pl*	*f pl*
quel?	quelle?	quels?	quelles?

---

4 Quel look préfères-tu? Choisis un look et décris les vêtements qui correspondent.

Exemple: Je préfère le look classique: un pantalon noir ...

le look cool   le look décontracté   le look classique   le look sportif

Chez toi
Ecris un paragraphe sur tes vêtements préférés.

Exemple: Mes vêtements préférés sont un vieux jean délavé qui est très confortable, ...

A Radio Jeunes

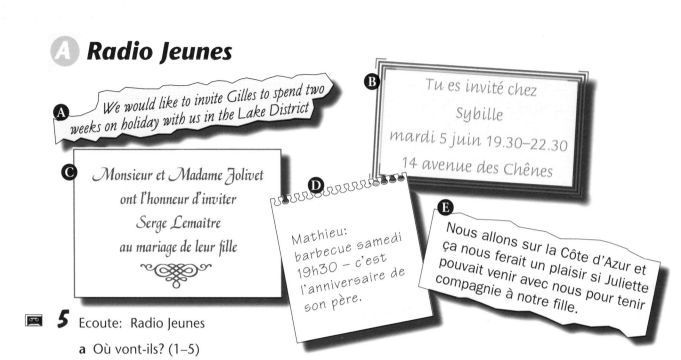

A We would like to invite Gilles to spend two weeks on holiday with us in the Lake District

B Tu es invité chez
Sybille
mardi 5 juin 19.30–22.30
14 avenue des Chênes

C Monsieur et Madame Jolivet
ont l'honneur d'inviter
Serge Lemaître
au mariage de leur fille

D Mathieu:
barbecue samedi
19h30 – c'est
l'anniversaire de
son père.

E Nous allons sur la Côte d'Azur et ça nous ferait un plaisir si Juliette pouvait venir avec nous pour tenir compagnie à notre fille.

5 Ecoute: Radio Jeunes

a Où vont-ils? (1–5)

b Qu'est-ce que Jacques leur conseille? Trouve la bonne image.

a   b   c   d   e

6 **a** Ecoute: Quelles couleurs leur vont bien? (1–5)

b Et toi? Quelles couleurs te vont bien?

Flash langue

How to say what colour suits you
French uses the indirect object pronouns (see Pause grammaire 3.2, page 43).

Le bleu **me** va bien. – *Blue suits **me** well.* (lit. *Blue goes **to/with me** well.*)
Le rouge ne **lui** va pas. – *Red doesn't suit **him/her**.* (lit. *Red doesn't go **to/with him/her**.*)

7 Ecris quatre paragraphes.

Qu'est-ce que tu portes ...   **1** quand tu es chez toi?
                                      2 quand tu sors avec tes copains/copines?
                                      3 quand tu fais ton sport préféré?
4 Qu'est-ce que tu as porté le plus pendant les dernières vacances?

Exemple: 1 Quand je suis chez moi, je porte ...

Flash langue

How to say 'the same'

	m sing	f sing	m/f pl
Je porte	le même tee-shirt	la même chemise	les mêmes vêtements/chaussures

RECHERCHE MANNEQUINS

On recherche des filles et des garçons de 13 à 15 ans pour être mannequins pendant trois jours et présenter la nouvelle mode pour les jeunes.

Ecrire à: Boîte 9057

Madame/Monsieur,

Nous avons bien reçu votre lettre du 5 avril et nous vous prions de bien vouloir vous présenter à notre siège au 15 rue des Chariots, le mercredi 15 avril à 14h30 pour une entrevue.

8 Tu vas te présenter à l'entrevue.
Pour avoir une chance d'être retenu(e), il faut adopter le look adéquat!
Fais la liste des vêtements que tu vas porter. Pourquoi?

Exemple: Je vais adopter le look ... . Je vais porter ... parce que le ... me va bien.

9 **a** Décris ce que tu portes pour aller au collège.

b Comment trouvent-ils les uniformes? Pour ou contre?

Exemple: 1 pour

1 C'est pratique, on sait toujours quoi mettre.

2 On a le sentiment d'appartenir à un groupe.

3 Je trouve ça chic!

4 C'est un peu monotone.

5 Je déteste les cravates.

6 On se ressemble tous. On ne peut pas exprimer sa personnalité.

7 On est toujours habillé pareil, quelle que soit la saison.

8 On sait toujours ce qu'on va porter.

9 Ça coûte cher. On ne peut pas porter d'uniforme le week-end!

10 Je n'aime pas porter de jupe. Je préfère mettre un jean.

c Qu'en penses-tu? Fais une liste de trois avantages et de trois inconvénients.

Chez toi
Dessine et décris un uniforme adéquat pour ton collège.

Flash langue

Expressing opinions

A mon/notre avis, ... = *In my/our opinion, ...*
Selon moi/nous, ... = *According to me/us, ...*
Je trouve les uniformes ... = *I find uniforms ...*
Je pense que ... = *I think that ...*
Je crois que ... = *I believe that ...*
C'est bien/Ce n'est pas bien, parce que ... = *It's good/It's no good, because ...*

J'ai fait une gaffe

10 Les gaffes

TEL UN ZEBRE

L'été dernier, ma meilleure amie a fait une soirée chez elle. Comme je n'étais pas encore allée en vacances, j'ai décidé de mettre de l'autobronzant sur mes jambes, qui étaient blanches comme des navets. Je n'avais pas beaucoup de temps et je l'ai étalé sans lire le mode d'emploi. Comme mes jambes étaient toujours blanches, j'en ai appliqué encore une fois avant de sortir. Deux heures plus tard, pendant la soirée, les garçons se sont mis à rigoler et m'ont dit: 'Hé, le zèbre!' J'ai regardé mes jambes: elles étaient couvertes de grosses rayures oranges! J'étais tellement gênée que je suis rentrée à la maison.

Sophie M.

a Complète les phrases.

1 Sophie était invitée chez …
2 Avant d'y aller, elle a …, parce qu'elles …
3 Elle n'a pas lu …

4 Elle en a appliqué … parce que ses jambes …
5 Après deux heures, ses jambes étaient …
6 Elle se sentait …

Quelle tête!

Quand j'avais onze ans, j'avais une copine qui avait un grand frère très beau et très sportif. Je craquais pour lui et je m'arrangeais toujours pour venir voir ma copine quand il était là. Un jour, nous étions tous les trois en train de papoter dans sa chambre quand j'ai saisi ce que je croyais être un nouveau casque de cycliste noir et blanc, encore emballé dans son plastique. Je l'ai mis sur ma tête et j'ai dit: 'Et si on allait faire une petite balade à vélo?' Ma copine et son frère ont éclaté de rire et il a dit: 'Si tu veux, mais pas avec mon ballon de foot sur la tête!' Je l'ai bien regardé et en fait c'était un nouveau ballon de foot qu'il n'avait pas encore gonflé. Je me sentais tellement stupide et tellement gênée que je ne suis plus allée chez ma copine.

Sibylle T.

b Réponds aux questions.

1 Sibylle était où exactement?
2 Pourquoi était-elle là?
3 Elle était avec qui?

4 Qu'est-ce qu'elle a fait?
5 Pourquoi était-elle gênée?

Serviette flambée

C'était l'anniversaire de ma petite copine et je l'ai invitée à dîner dans un petit restaurant italien très romantique, avec des chandelles sur les tables. Pendant le repas, sa serviette est tombée par terre. Quand je lui ai passé sa serviette par-dessus la table, elle s'est enflammée et l'alarme d'incendie s'est déclenchée. Le chef du restaurant est arrivé avec l'extincteur et le serveur s'est précipité sur nous avec une cruche d'eau qu'il a versé sur ma petite amie.

Auban J.

c Réponds aux questions.

1 Qui a-t-il invité à dîner?
2 Pourquoi?
3 Où sont-ils allés?
4 Qu'est-ce qui s'est passé?
5 Qu'en penses-tu? Est-ce qu'elle sort toujours avec lui?

11 Un poème. Qu'est-ce qui s'est passé?

Exemple: Jean-Luc s'est réveillé … et Marie …

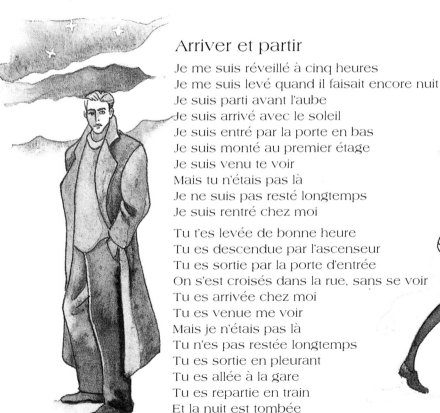

Arriver et partir

Je me suis réveillé à cinq heures
Je me suis levé quand il faisait encore nuit
Je suis parti avant l'aube
Je suis arrivé avec le soleil
Je suis entré par la porte en bas
Je suis monté au premier étage
Je suis venu te voir
Mais tu n'étais pas là
Je ne suis pas resté longtemps
Je suis rentré chez moi

Tu t'es levée de bonne heure
Tu es descendue par l'ascenseur
Tu es sortie par la porte d'entrée
On s'est croisés dans la rue, sans se voir
Tu es arrivée chez moi
Tu es venue me voir
Mais je n'étais pas là
Tu n'es pas restée longtemps
Tu es sortie en pleurant
Tu es allée à la gare
Tu es repartie en train
Et la nuit est tombée

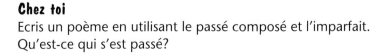

Chez toi
Ecris un poème en utilisant le passé composé et l'imparfait.
Qu'est-ce qui s'est passé?

B Je cherche un job

Allez, les jeunes!

Cet été, vous avez envie de trouver un job pour vous faire un peu d'argent. Mais voilà, vous y pensez trop tard, tous les meilleurs emplois sont déjà pourvus. Pas de panique, il existe plein d'autres petits jobs que vous pouvez trouver à la dernière minute.

Travailler comme vendeur/vendeuse
Vous pouvez trouver un job chez un commerçant de votre quartier ou de votre lieu de vacances. Armez-vous d'un sourire et faites la tournée des magasins et des boutiques.

S'occuper des animaux
Vous restez à la maison? Avez-vous des voisins qui partent en vacances? S'ils ont des animaux, vous pouvez offrir de vous occuper d'eux: de leur donner à manger et de les sortir.

S'occuper des plantes
Et si vous avez des voisins qui partent en vacances, vous pouvez également offrir de vous occuper de leur jardin ou des plantes: arroser les plantes et tondre le gazon, comme ça vous pouvez travailler dehors.

Faire du baby-sitting
Le baby-sitting, c'est le job de dernière minute le plus facile si vous tombez au bon moment. Il faut aimer les enfants et savoir être ferme et responsable, mais ce n'est pas toujours bien payé.

Travailler chez un garagiste
En été, vous pouvez peut-être trouver un job chez un garagiste: laver les voitures, gonfler les pneus et faire d'autres petits travaux au garage.

Donner des cours
Si vos voisins ont de jeunes enfants, vous pouvez leur donner des cours pour les aider dans leurs études. Avec de très jeunes enfants, vous pouvez vous occuper d'eux, leur lire des histoires, les faire dessiner, jouer avec eux à des jeux de société etc. C'est souvent très bien payé!

1 Trouve un job qui leur convient.

1 J'ai deux petits frères et j'aimerais travailler avec les enfants.
2 Je déteste les enfants. Je préférerais m'occuper des animaux.
3 Je voudrais bien gagner, je ferais n'importe quel job.
4 Je préférerais faire un travail manuel.
5 Je voudrais travailler en ville et bien gagner.
6 Je préférerais travailler seulement le matin.
7 Pour moi, l'important c'est de m'oxygéner, je voudrais travailler en plein air.

2 Ecoute et note: Qu'est-ce qu'ils en pensent? (1–6)

a il faut aimer ...
b c'est facile
c on gagne bien
d c'est intéressant
e c'est ennuyeux
f c'est fatigant
g autre

3 Qu'en penses-tu?

J'aimerais/Je n'aimerais pas Je voudrais/Je ne voudrais pas	travailler/faire ...	parce que ...

Pause grammaire 4.3 〉►Entraînement à la page 122 ➤

The conditional (*Le conditionnel*)

This is used to translate 'would'. You have already been using it in:

Je voudrais ... – *I would like to ...*

The conditional of regular verbs is formed by adding the following endings to the infinitive:

j'aimer**ais**   nous aimer**ions**
tu aimer**ais**   vous aimer**iez**
il aimer**ait**   ils aimer**aient**

These are the irregular verbs you are most likely to need in the conditional:

j'aurais = *I would have*   je pourrais = *I could*
je ferais = *I would do/make*   je serais = *I would be*
j'irais = *I would go*

For irregular verbs and verbs with a spelling change, see the lists on pages 142-147.

---

4 Interview

a Prépare tes réponses aux questions.

Voudrais-tu gagner de l'argent?
Quel job préférerais-tu?
Pourrais-tu travailler avec des enfants?
Aimerais-tu t'occuper des animaux?
Serais-tu capable de travailler dans une boutique?
Aurais-tu assez de patience pour donner des cours aux jeunes enfants?
Voudrais-tu travailler en plein air?

b Interviewe un(e) partenaire.

c Rédige un compte-rendu de l'interview.

Chez toi

Choisis un job pour toi et un job pour ton/ta partenaire. Explique pourquoi tu les as choisis.

J'aimerais Je voudrais	faire/travailler dans/m'occuper de ...	parce que j'aime ... parce que c'est ... parce qu'on ...
(John/Laura) aimerait (John/Laura) voudrait	faire/travailler dans/s'occuper de ...	parce qu'il/elle aime ... parce que c'est ... parce qu'on ...

B Qu'est-ce qu'on pourrait faire?

5 **a** Fais la liste de dix choses qu'ils pourraient faire.

b Ecoute et note: Qu'est-ce qu'ils voudraient faire? Pourquoi? (1–10)

Exemple: Il/Elle voudrait ..., parce qu'il/elle ...

6 Jeu de rôles

▲ Qu'est-ce qu'on pourrait faire?

● Moi, je voudrais

▲ Et toi, qu'est-ce que tu voudrais faire?

● On pourrait   ou

▲ Ou bien, on pourrait   ou

● Bof! J'aimerais mieux

▲ Bon, d'accord!

7 'Et si tu gagnais beaucoup d'argent, que ferais-tu?'

a Lis les réponses.

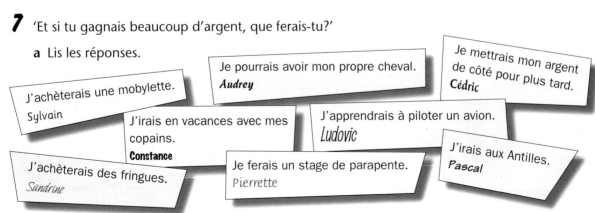

J'achèterais une mobylette.
Sylvain

Je pourrais avoir mon propre cheval.
Audrey

Je mettrais mon argent de côté pour plus tard.
Cédric

J'irais en vacances avec mes copains.
Constance

J'apprendrais à piloter un avion.
Ludovic

J'achèterais des fringues.
Sandrine

Je ferais un stage de parapente.
Pierrette

J'irais aux Antilles.
Pascal

b Qui est-ce?

A   B   C   D

E   F   G   H

c Ecoute et note: Qu'est-ce qu'ils voudraient faire? (1–8)

8 a Et toi? Que ferais-tu?

b Interroge un(e) partenaire et note sa réponse. Que ferait-il/elle?

9 Vacances de rêve

a Qui pourrait aller avec qui? Pourquoi?

Exemple: Benoît pourrait aller avec ... parce qu'il/elle aime ...

b Tu voudrais aller avec qui? Pourquoi?

Exemple: J'aimerais aller avec ... parce qu'on/il/elle ...

Je voudrais aller aux Antilles, à la Martinique. J'ai une tante qui habite là-bas et je voudrais aller la voir. Elle habite près de la plage. On pourrait aller se baigner tous les jours.

Olivier

J'ai un oncle qui habite à New York. J'aimerais y aller. Il n'habite pas loin du centre et on pourrait visiter les magasins et les musées.

Constance

J'aimerais faire un safari en Afrique pour voir les éléphants et les lions. Je voudrais survoler les parcs naturels en montgolfière.

Benoît

COMPAGNONS DE VOYAGE

Je rêve de passer mes vacances sous les cocotiers, j'adorerais me reposer sur une plage de sable blanc.
Camille 8067

J'adore l'énergie des grandes villes. Je voudrais aller au théâtre et faire les magasins.
Danielle 8068

J'aime la nature. A la télé, j'aime regarder les documentaires sur la nature, surtout sur les animaux. J'aimerais bien visiter une grande réserve naturelle un jour.
Germain 8069

Je voudrais partir à l'aventure, n'importe où!
Antoine 8070

Je voudrais faire un tour de l'Antarctique en bateau, pour voir les baleines et les pingouins. Mais je voudrais y aller en été, parce qu'il fait trop froid en hiver.

Axelle

Chez toi

Vacances de rêve: Où irais-tu? Que ferais-tu?

B Des vacances extraordinaires

Ma première baleine

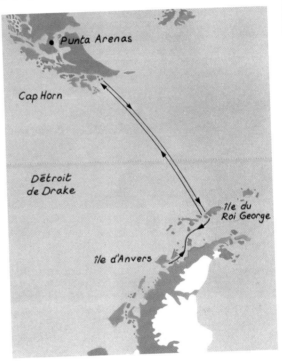

Nous nous préparons à aller nous coucher. Jéronimo est sous la douche. Soudain, quelqu'un crie: des baleines, des baleines! Nous nous précipitons hors des cabines avec nos appareils photo. Jéronimo est encore sous la douche.

Quand j'arrive sur le pont, tout le monde est en train de pointer le doigt vers l'eau et de pousser des cris. Au début, je ne vois rien.

Tout à coup, j'aperçois un énorme remous dans l'eau et je n'en crois pas mes yeux: j'ai devant moi une masse gigantesque. Je n'ai jamais rien vu d'aussi gros. Je suis tout excitée et remplie de joie. C'est fantastique. Tout le monde est bouche bée. Le capitaine nous dit qu'il s'agit d'une baleine à bosse.

Et soudain, on découvre un baleineau qui nage à son côté. Il a beau paraître tout petit par rapport à sa maman, c'est néanmoins le plus gros bébé que j'aie jamais vu. Pendant un moment, ils nagent tout près du bateau, et d'un seul coup ils disparaissent dans les profondeurs de la mer. On ne les reverra plus. **Kelly**

10 Lis le texte. Vrai ou faux?

1 Il s'agit d'une visite dans l'Antarctique.
2 Kelly est sur un bateau avec d'autres jeunes.
3 C'est pendant la matinée.
4 Jéronimo est en train de se laver.
5 Quelqu'un voit des baleines.
6 Kelly se précipite sur le pont.
7 Elle oublie son appareil photo.
8 Il y a plusieurs baleines.
9 Une baleine a un bébé.
10 Le bébé est tout petit.

NAUFRAGÉS SUR UNE ÎLE DÉSERTE!

11 **a** A deux: Imaginez que vous faites naufrage sur une île déserte. Vous pouvez emporter quatre choses chacun(e). Qu'est-ce que vous emporteriez? Pourquoi?

Exemple: J'emporterais un baladeur pour écouter de la musique.

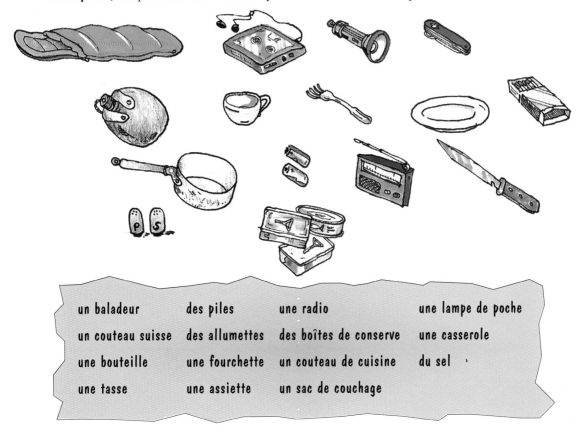

un baladeur	des piles	une radio	une lampe de poche
un couteau suisse	des allumettes	des boîtes de conserve	une casserole
une bouteille	une fourchette	un couteau de cuisine	du sel
une tasse	une assiette	un sac de couchage	

b Ecoute et note: Qu'est-ce qu'ils emporteraient? (1–8)

12 Ecoute: Qu'est-ce qui leur manquerait le plus? (1–9)

Carte mémoire
....

petit copain/petite copine;
baignoire; douche; lit; télé;
parents; repas de ma mère
....

Flash langue

How to say you miss something

manquer = *to be missing/be lacking*
Mon chien me manque. – *I miss my dog.*
Mes frères me manquent. – *I miss my brothers.*
La télé me manquerait. – *I would miss the TV.*
Les repas de ma mère me manqueraient. – *I would miss my mother's meals.*

Chez toi

Nomme les cinq choses qui te manqueraient le plus et explique pourquoi.

Mon vélo	me	manquerait	parce que ...
Les pizzas		manqueraient	

Ses débuts, ses rêves d'enfant, son argent

Comment as-tu décidé de devenir chanteur?

Je me souviens que j'étais en train de ranger des couverts et que j'écoutais d'une oreille distraite une chanson qui passait à la radio. D'un coup, la mélodie a pris une autre direction que celle que j'attendais, et je me suis dit que si j'avais écrit cette chanson, je l'aurais faite différemment. C'est la première fois que j'ai pensé que je devrais essayer de devenir auteur-compositeur.

Quel est le disque qui t'a marqué le plus à cette époque?

C'était en 1978: La fièvre du samedi soir. J'ai immédiatement flashé sur ce qui est devenu plus tard la dance music.

Est-il vrai que tu rêvais de devenir pilote d'avion?

Oui. Mais j'ai dû y renoncer à l'âge de 15 ans, quand on s'est aperçu que j'étais myope et daltonien. Pour être pilote, il faut avoir une vue parfaite, et je ne distingue pas les couleurs. C'est d'ailleurs pour cela que je suis presque toujours habillé en noir.

Quel look avais-tu ado?

J'étais trop grand pour mon âge, un peu gras, avec les cheveux frisés et d'horribles lunettes de vue. Aucune fille ne s'intéressait à moi. J'étais moche et très peu sûr de moi. Je me suis inventé un personnage, celui de George Michael, une espèce de monstre sacré à la fois sex-symbol et superstar, qui me ressemble en fait assez peu. Mais je m'en sers pour protéger ma vie privée.

Où habites-tu?

Je possède une maison à Londres et un appartement à New York. Je suis également propriétaire d'une maison sur la Côte d'Azur, sur les hauteurs de Saint-Tropez.

Quelles sont tes principales qualités?

Je suis quelqu'un d'une grande gentillesse et d'une extrême générosité.

Es-tu riche?

Je suis très riche d'aventures et d'expériences, oui. [Jolie réponse qui esquive la question. En fait, le chanteur est millionnaire: alors qu'il avait à peine 30 ans, il aurait pu arrêter de travailler jusqu'à la fin de ses jours.]

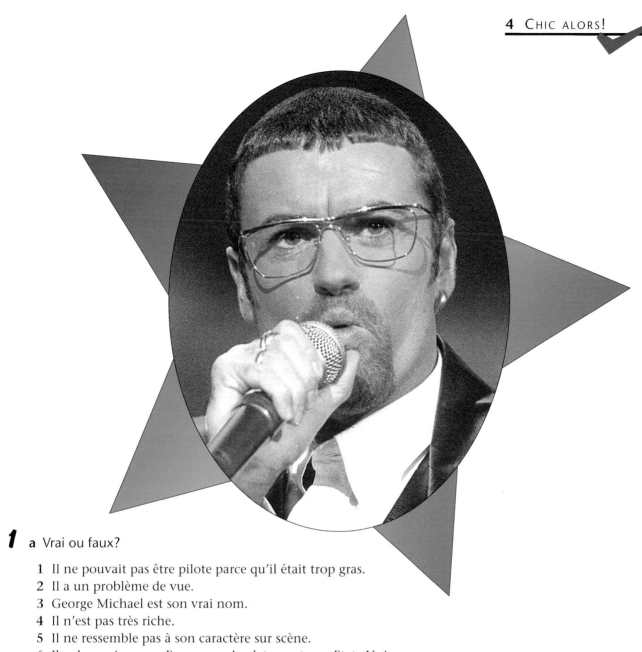

1 **a** Vrai ou faux?

1 Il ne pouvait pas être pilote parce qu'il était trop gras.
2 Il a un problème de vue.
3 George Michael est son vrai nom.
4 Il n'est pas très riche.
5 Il ne ressemble pas à son caractère sur scène.
6 Il a des maisons en France, en Angleterre et aux Etats-Unis.
7 Il a toujours été beau.
8 Il écrit ses propres chansons.
9 Il aime porter des vêtements aux couleurs vives.
10 Il avait toujours beaucoup de petites copines quand il était ado.

b Corrige les phrases qui sont fausses.

2 Copie et complète la grille. Mets les verbes du texte dans la bonne colonne.

Perfect tense	Imperfect tense

Chez toi

Rédige la fiche d'identité d'une personnalité que tu admires.

C Je bouquine

Nom: Dion **Prénom:** Céline
Date de naissance: 30 mars 1968
Lieu de naissance: Charlemagne, Québec, Canada
Signe astrologique: Bélier
Taille: 1,68 m
Poids: 53 kg
Situation de famille: mariée à René Angelil, son manager
Frères et soeurs: 5 frères et 8 soeurs
Elle adore: les gens honnêtes
Elle déteste: les gens faux
Acteurs préférés: Anthony Hopkins, Jack Nicholson
Actrices préférées: Juliette Lewis, Audrey Hepburn
Chanteurs préférés: Stevie Wonder, George Michael
Chanteuses préférées: Barbra Streisand, Annie Lennox
Enfance/adolescence: 'J'ai grandi dans une famille qui aimait la musique. J'ai eu une enfance très heureuse, remplie d'amour pour mes parents et mes frères et soeurs. J'ai commencé à chanter professionnellement à l'âge de 14 ans. J'ai passé la plupart de mon adolescence à enregistrer, à faire de la scène et à voyager.'
Discographie: 'Unison', 1991; 'Céline Dion', 1993; 'The Colour Of My Love', 1994; son album 'D'Eux', enregistré en 1995, est l'album le plus vendu en France de tous les temps; 'Falling Into You', 1996; 'Live In Paris', 1996.

3 **a** Lis la fiche d'identité de Céline Dion et réponds aux questions.

  1 Quelle nationalité a Céline Dion?
  2 Quel âge a-t-elle?
  3 Combien de frères et soeurs a-t-elle?
  4 Qui est son mari?
  5 Qu'est-ce qu'elle aime?
  6 Et qu'est-ce qu'elle n'aime pas?
  7 Quel est son plus grand succès?

  b Rédige un article pour le journal de ta classe.

  Exemple: Céline Dion est ... . Elle a/chante ...

4 Une chanson de Céline Dion: 'Quand on n'a que l'amour'

  1 Aimes-tu cette chanson?
  2 Quelles expressions préfères-tu?
  3 Choisis une strophe et apprends-la par coeur.

Chez toi
Ecris un poème ou une chanson: Un ami .../Quand la vie ...

Quand on n'a que l'amour

par Jacques Brel

Quand on n'a que l'amour
A s'offrir en partage
Au jour du grand voyage
Qu'est notre grand amour

partager: diviser une chose entre
deux (ou plusieurs) personnes

Quand on n'a que l'amour
Mon amour, toi et moi
Pour qu'éclatant de joie
Chaque heure et chaque jour

éclater: apparaître soudain et avec force

Quand on n'a que l'amour
Pour vivre nos promesses
Sans nulle autre richesse
Que d'y croire toujours

croire à: tenir quelque chose pour vrai

Quand on n'a que l'amour
Pour meubler de merveilles
Et couvrir de soleil
La laideur des faubourgs

laid: désagréable à la vue; mot opposé à 'beau'
les faubourgs = les banlieues

Quand on n'a que l'amour
Pour tracer un chemin
Et forcer le destin
A chaque carrefour

carrefour: intersection de deux routes ou rues

Quand on n'a que l'amour
Pour parler aux canons
Et rien qu'une chanson
Pour convaincre un tambour

canon: arme offensive

tambour: instrument à percussion

Alors sans avoir rien
Que la force d'aimer
Nous aurons dans nos mains
Amis, le monde entier.

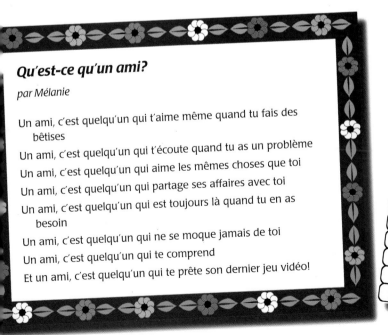

Qu'est-ce qu'un ami?

par Mélanie

Un ami, c'est quelqu'un qui t'aime même quand tu fais des bêtises

Un ami, c'est quelqu'un qui t'écoute quand tu as un problème

Un ami, c'est quelqu'un qui aime les mêmes choses que toi

Un ami, c'est quelqu'un qui partage ses affaires avec toi

Un ami, c'est quelqu'un qui est toujours là quand tu en as besoin

Un ami, c'est quelqu'un qui ne se moque jamais de toi

Un ami, c'est quelqu'un qui te comprend

Et un ami, c'est quelqu'un qui te prête son dernier jeu vidéo!

Quand la vie est un collier

par Jacques Prévert

Quand la vie est un collier
Chaque jour est une perle
Quand la vie est une cage
Chaque jour est une larme
Quand la vie est une forêt
Chaque jour est un arbre
Quand la vie est un arbre
Chaque jour est une branche
Quand la vie est une branche
Chaque jour est une feuille

Bilan

Check that you can ...

1 talk about clothes.

- Name the items of clothing you are wearing
- Say what colour they are

- Describe them

Je porte un pantalon, une chemise, une veste ...

Mon pantalon est gris et ma veste est noire.
Mes baskets sont blanches.
Je porte un pantalon large et une chemise longue.

2 talk about preferences.

- Say what sort of clothes you prefer and why
- Say which colour suits you
- Ask someone which they prefer

Je préfère le look classique/décontracté, parce que j'aime les pantalons larges.
Le bleu me va bien.
Quel pull/Quelle veste/Quelles chaussures préfères-tu?

3 talk about getting a job. Say

- what you would like to do

- what you think of the jobs on offer

Je voudrais faire du baby-sitting/travailler chez un garagiste/m'occuper des animaux.
C'est facile, mais il faut aimer les animaux.
C'est fatigant, mais on gagne bien.

4 talk about what you could or would like to do. Suggest

- what you could do in your free time

- what you would do if you had lots of money
- what you would take to a desert island

  and what you would miss

On pourrait jouer au tennis/regarder la télé/ aller au cinéma.
J'achèterais une mobylette.
J'irais en vacances aux Antilles.
J'emporterais un baladeur, des piles, un couteau suisse ...
Les repas de ma mère me manqueraient.
La télé me manquerait.

Contrôle révision

A Ecoute: Quel job voudraient-ils faire? Pourquoi? (1–5)

Exemple: 1 Germain voudrait …
   parce qu'il …

B Parle: Un défilé de mode.
Que portent-ils?

Exemple: Cathy porte …

Cathy   Ophélie   Christophe   Vincent

C Lis: Vacances de rêve

Je voudrais aller en Espagne. Je n'y suis jamais allé, mais j'ai une cousine qui habite là-bas. Je voudrais y aller, parce qu'il fait chaud. On pourrait aller nager souvent parce que ma cousine habite près de la mer, et il y a une piscine juste devant l'immeuble pour les gens qui y habitent. J'ai vu des photos.

Thomas

Je serais très contente si je pouvais aller en Angleterre. Je sais qu'il ne fait pas beau, on dit qu'il pleut tout le temps, mais je pourrais visiter tous les monuments de Londres et apprendre l'anglais. J'ai une tante qui habite là-bas et je voudrais lui rendre visite. Je pourrais prendre un vol de Paris à Londres et elle viendrait me chercher à l'aéroport. Ce n'est pas loin de chez elle.

Véronique

Je voudrais aller aux Etats-Unis. Mon petit copain y est allé l'année dernière et il a passé une semaine en Floride. Il a visité un parc aquatique et il a passé une semaine à New York, où il a visité les musées. Je voudrais aller à New York pour visiter les monuments et les grands magasins, mais je ne ferais pas l'ascension de l'Empire State Building, parce que j'ai peur du vide.

Elvire

Je voudrais aller aux Antilles. Je rêve de me reposer sous les cocotiers. Je dormirais sur le sable blanc et je nagerais dans l'eau bleue et limpide. J'aurais besoin de beaucoup d'argent pour le vol, mais quand on est là-bas il n'y a rien à acheter. Je mangerais des ananas et je boirais du lait de coco.

Albert

Qui parle? Il/Elle parle de quoi?

Exemple: 'Normalement les maisons sont blanches à cause du soleil, mais elle a une maison rose.' – *Thomas parle de la maison de sa cousine.*

1 'Il a vu des dauphins et des baleines.'
2 'Elle habite près d'une station de métro et il ne me faudrait que vingt minutes pour arriver à Oxford Street.'
3 'Le vol coûte très cher.'
4 'Ou bien, je pourrais manger des bananes.'
5 'Il y a deux chambres et un balcon qui donne sur la mer.'
6 'Je n'en ai jamais bu, mais ça doit être délicieux.'
7 'Il y a un ascenseur super-rapide pour y monter.'
8 'L'eau n'est pas chauffée.'
9 'Je vais m'acheter un parapluie.'

D Ecris un paragraphe sur ce que tu emporterais en vacances et explique pourquoi.

Exemple: J'emporterais une lampe de poche pour voir la nuit.

5 En France

A A la découverte de l'Hexagone

Les montagnes
Les Alpes
Le Jura
Le Massif Central
Les Pyrénées
Les Vosges

La France en chiffres
Sa superficie est de 544 000 km².
Sa population est de 59 millions d'habitants (dont la plupart habitent en ville).
Sa capitale est Paris (9 millions d'habitants avec l'agglomération).
La montagne la plus haute d'Europe est le mont Blanc avec 4 807 m d'altitude.
Le fleuve le plus long de France est la Loire avec 1 020 km de longueur.
Les tunnels les plus longs sont le tunnel sous la Manche d'une longueur de
49,9 km, qui relie la France et l'Angleterre, et le tunnel du Mont Blanc d'une
longueur de 11,6 km, qui relie la France et l'Italie.

1 a A deux: Nommez les montagnes, les rivières et les grandes villes de France.

b A deux: Où se trouvent ces lieux touristiques?

Exemple: (Le mont Blanc) se trouve en/dans/ sur/près de …

Les rivières	Les villes	
l'Ardèche	Avignon	Nice
la Dordogne	Bordeaux	Paris
la Loire	Calais	Rouen
le Rhône	Dijon	Strasbourg
la Seine	Marseille	

A Le mont Blanc

B Le Parc Disneyland

C Le château de Chambord

D Les gorges du Tarn

E Le pont du Gard

c Ecoute et vérifie.

2 Ecoute: Où passeront-ils les grandes vacances l'année prochaine? (1–6)

3 Fais des comparaisons.

Exemple: Le Rhône est plus long que …, mais … est le fleuve le plus long.

> **Pause grammaire 5.1** ⟩ ► Entraînement à la page 123 ►
>
> **The comparative and superlative**
> (*Le comparatif et le superlatif*)
>
> How to say something is bigger, smaller, etc. (the comparative) and biggest, smallest, etc. (the superlative).
>
> | grand(e) | plus grand(e) | le/la plus grand(e) |
> |---|---|---|
> | petit(e) | plus petit(e) | le/la plus petit(e) |

Les fleuves: la Seine 776 km, la Loire 1 020 km, le Rhône 812 km
Les îles: la Guadeloupe 1 780 km^2, la Martinique 1 100 km^2, la Réunion 2 510 km^2
Les montagnes: le mont Everest 8 848 m, le mont Blanc 4 807 m, le mont Chogari 8 580 m
Les océans: le Pacifique 181 020 000 km^2, l'Atlantique 86 560 000 km^2, l'océan Indien 73 430 000 km^2
Les bâtiments: la tour Eiffel 320 m, la pyramide de Chéops 146 m, l'Empire State Building 381 m

---

Chez toi
Où voudrais-tu aller? Pourquoi?

Exemple: Je voudrais aller à/en … parce que j'aime …/parce que c'est …/parce qu'on peut …

A La grande évasion

L'année prochaine, nous irons comme chaque année en Auvergne. C'est l'endroit préféré de mes parents. On connaît déjà un camping où on va chaque année depuis cinq ans. Je préférerais aller sur la Côte d'Azur avec ma copine, mais ça coûte cher. L'Auvergne, ce n'est pas mal. La campagne est jolie. On nagera dans la piscine et je ferai de l'équitation. On bronzera, on se reposera et on s'oxygénera!

Nicolas

Mes parents ont décidé de faire le tour des châteaux de la Loire, mais heureusement pour moi, je resterai à la maison. Tous les midis, je travaillerai dans un restaurant du coin et j'ai des copains qui ont un petit job au supermarché. On pourra s'amuser ensemble pendant notre temps libre. Le soir, s'il fait beau, on pourra faire des promenades dans la forêt. Et s'il ne fait pas beau, on sortira en ville. Nous mangerons au Quick ou nous irons au bowling ou au cinéma.

Patrick

L'année prochaine, on ira dans les Alpes. Mon père est fana de montagne. Nous ferons de grandes randonnées. Nous passerons la nuit dans des cabanes de haute montagne et nous partirons marcher chaque matin vers cinq heures, pour ne pas avoir trop chaud. Normalement, il faut s'arrêter à midi parce que le soleil est dangereux en altitude et pourrait nous brûler. Les montagnes sont impressionantes et les vues sont magnifiques, mais c'est fatigant.

Hélène

Quand j'aurai assez d'argent, je ferai un stage de planche à voile en Bretagne. Ça dure trois semaines. Le matin, on fera de la planche et l'après-midi, on pourra nager, jouer au tennis, au ping-pong et au volley, ou faire des balades à vélo. Le soir, on fera des promenades le long de la plage, on jouera aux cartes ou à des jeux de société et je me ferai de nouveaux amis. Je trouverai peut-être un petit copain, qui sait?

Géraldine

4 Vrai, faux ou je ne sais pas?

1 Nicolas fera du camping avec ses parents.
2 Il préférerait aller au bord de la mer avec sa copine.
3 Il aime la campagne.

4 Patrick fera le tour des châteaux de la Loire avec ses parents.
5 Il préférerait travailler dans un supermarché.
6 Il a une petite amie.

7 Hélène ira au bord de la mer avec ses copains.
8 Ses parents aiment faire de la montagne.
9 Elle n'aime pas se lever à cinq heures.

10 Géraldine n'est pas sportive.
11 Elle passera trois semaines à Boulogne.
12 Elle n'a pas de petit copain.

Pause grammaire 5.2

Entraînement à la page 123

The future tense (*Le futur*)

So far you have used the near future (*futur proche*) to talk about the future. This is similar to the English 'going to': Je vais aller en ville. – *I am going to go to town.*

There is also a future tense which translates the English 'will' or 'shall':

Je resterai en ville. – *I'll stay in town.*
Nous marcherons dans les bois. – *We'll walk in the woods.*

The future tense is made by adding these endings
to the infinitive (*-re* verbs lose the final *-e*):

verbs ending in **-er:**	**-re:**	**-ir:**	Some common irregular verbs
je marcher**ai**	prendr**ai**	finir**ai**	faire – je fer**ai**
tu marcher**as**	prendr**as**	finir**as**	aller – j'ir**ai**
il marcher**a**	prendr**a**	finir**a**	avoir – j'aur**ai**
nous marcher**ons**	prendr**ons**	finir**ons**	être – je ser**ai**
vous marcher**ez**	prendr**ez**	finir**ez**	
ils marcher**ont**	prendr**ont**	finir**ont**	

For more on irregular verbs and verbs with a spelling change see the lists on pages 142–147.

5 **a** Relis les textes et fais la liste des verbes au futur.

> **Exemple:** nous irons

b Où iront-ils? Que feront-ils?

> **Exemple:** Hélène ira … et elle fera …

6 Que feront-ils …?

a s'il fait beau

> **Exemple:** Elle bronzera.

b s'il pleut

Chez toi

L'année prochaine, tu iras passer des vacances en France.
Tu les passeras avec qui: Nicolas, Patrick, Hélène ou Géraldine?
Où iras-tu? Que feras-tu?

Exemple: J'irai dans les Alpes avec Hélène. Je ferai des randonnées. Je passerai …

... dans le futur

A Dordogne

EQUITATION ● ● ● ● ●

A partir de treize ans
Vous découvrirez le plaisir des promenades à cheval. Vous partirez pour deux à trois heures par jour, vous panserez votre cheval, préparerez son box et nettoyerez l'écurie. Le reste du temps, selon votre envie, vous pourrez faire une partie de pétanque, aller à la pêche, jouer au volleyball, ou encore lire et visiter la région.

B Côte d'Azur

LE GRAND BLEU ● ● ● ● ●

A partir de seize ans
Une heure de théorie et quatre heures de pratique journalière. Tu plongeras dans un site privilégié. Certificat médical obligatoire.

C Vosges

RANDONNEE PEDESTRE ● ● ● ● ●

A partir de quatorze ans
La montagne, les fleurs et les oiseaux. Vous parcourrez 12 à 14 km par jour et découvrirez la beauté de cette région exceptionnelle partagée entre mer, nature et histoire.

D Normandie

AIRE D'ACTIVITES «LE SPORTIF» ● ● ● ●

A partir de douze ans
Vous apprendrez de nouveaux sports ou perfectionnerez votre sport préféré. Choisissez entre nos différents stages! Le matin: football, basketball ou volleyball. L'après-midi: tennis, natation ou VTT.

E Annecy

MULTI-ACTIVITES ● ● ● ● ●

Pour débutants à partir de quatorze ans
Vous choisirez votre cocktail de sports. Le matin: ski nautique, voile ou planche à voile. L'après-midi: parapente, VTT ou randonnée.

F Les Deux Alpes

VTT ● ● ● ●

A partir de douze ans
Vous apprendrez toutes les techniques et les plaisirs de la descente de montagne en VTT. Cette formule vous propose de découvrir la région en groupes de 8 à 10 personnes avec moniteur. Vous prendrez les petites routes à travers la forêt. Et pendant le reste de la journée, il y aura la piscine, le tir à l'arc, et le soir on fera des grillades.

7 **a** Ecoute: Où iront-ils? Que feront-ils? Devine quel stage ils feront. (1–6)

b Et toi? Choisis un stage. Où iras-tu et que feras-tu?

Exemple: J'irai (sur la Côte d'Azur). Je ferai …

8 Les vacances en 2200. Rédige une brochure imaginaire.

Exemple: Vous irez (en vacances sur la lune). Vous voyagerez (en fusée).

Où ira-t-on?
Comment voyagera-t-on?
Combien de temps durera le voyage?
Il y aura quelle sorte d'hébergement?
    (hôtels, campings, …)
Que fera-t-on?
Que mangera-t-on?
Que boira-t-on?
Que portera-t-on?

LES VACANCES EN 2200

Carte mémoire

dans l'espace; une étoile; une planète (Mars, Jupiter, Mercure, Vénus); un satellite-vacances; une fusée; une navette spatiale; un centre aquatique; une station spatiale

Chez toi
Ecris la météo de l'an 2200.

Exemple: Lundi, il pleuvra sur Mars.

Flash langue

Le temps:

aujourd'hui …	… et demain
il pleut	il pleuvra
il neige	il neigera
il fait chaud	il fera chaud
il y a du soleil	il y aura du soleil

81

A la découverte de la vallée de la Loire

Les châteaux de la Loire, anciennes résidences des rois de France et des grands seigneurs, sont les monuments les plus connus et les plus visités de la région. Alors que les amoureux du passé font le tour des châteaux, les amateurs de nature, d'arts, de bon vin ou de gastronomie ne manquent pas de sites à visiter. Nous vous proposons ici des sites moins connus à découvrir.

Vallée de la Loire

1 – LE ZOO DE LA FLECHE

Venez découvrir plus de 500 animaux du monde entier: lions, panthères, éléphants, rapaces, reptiles de toutes tailles et tant d'autres!

Aire de jeux. Garderie. Spectacle de dauphins.

2 – LE CHATEAU DE L'HOMME DE LETTRES

Tous les soirs après sa tournée, Alphonse Gentilhomme, le facteur de Chinon, transportait des pierres et construisait le château le plus extraordinaire de la région: le château de l'homme de lettres, qui vient d'être classé monument historique.

Visites guidées. Ouvert tous les jours de 10 h à 18 h sauf le dimanche.

3 – LE BATEAU A AUBES SUR LA LOIRE

Partez en croisière sur la Loire sur l'un des derniers bateaux à aubes.

Durée: 3 heures. Guide.

Découverte de la faune et de la flore des bords de Loire.

4 – LES GROTTES DE ST-AIGNAN

Visitez les plus longues grottes de France.

Exposition d'animaux préhistoriques.

Café-restaurant.

5 – LE MUSEE DE LA MODE FRANÇAISE

Vous découvrirez, dans cet ancien couvent construit au XVIIe siècle, l'histoire française de la mode, des costumes des Gaulois à nos vêtements actuels.

Exposition permanente.

6 – LES CAVES DU SAUMUROIS

Région vinicole du Saumurois. Dégustation gratuite.

Saumur-Champigny, Saumur Blanc.

Ouvert toute l'année.

7 – LA CAVERNE DES ALLIGATORS

Prédateurs redoutables, les alligators sont les cousins d'Amérique du Nord des crocodiles. Venez écouter leur histoire mise en scène par des experts. Vous pourrez également admirer en chair et en os les 200 alligators qui évoluent dans notre immense serre tropicale de 5000 m².

8 – LE CHEVAL DE FER

Remontez le temps en train à vapeur!

Parcours de 50 km à travers des paysages superbes.

Ouvert du 1er avril au 31 octobre.

1 **a** C'est quel site?

A   B   C   D   E   F

b Trouve les mots qui indiquent:

1 un voyage en bateau
2 un endroit où on conserve le vin
3 les habitants de la France au temps des Romains
4 un train qui existait avant les trains électriques
5 les passages souterrains
6 les oiseaux carnivores
7 des animaux qui mangent d'autres animaux
8 un espace vert où on peut se reposer, jouer ou pique-niquer
9 un endroit où on peut manger
10 une maison où habitent des moines ou des religieuses
11 une construction en verre où on conserve des plantes ou des animaux tropicaux
12 quelqu'un qui livre les lettres

2 a Où sont-ils allés?

C'était un édifice complètement bizarre. On ne sait pas pourquoi il l'a construit. C'était une obsession. Il l'a construit lui-même. Ce n'est pas joli et ça ne sert à rien. Je ne comprends pas pourquoi c'est classé monument historique. C'est bizarre.

Vincent

A deux heures ils ont sorti les rapaces. Il y avait des faucons, des buses et des hiboux. J'ai préféré les hiboux. Ils étaient énormes. Il y en avait un qui avait de grands yeux jaunes et qui pouvait faire un tour complet avec sa tête.

Emeline

C'était intéressant parce qu'il y a longtemps de ça, les gens y habitaient. On peut voir comment c'était avant, mais je n'aurais pas aimé être troglodyte et habiter dans une grotte.

Baptiste

Il y a un grand bâtiment chauffé avec beaucoup de fenêtres où on élève les alligators, et puis quand ils sont assez grands on les tue et on en fait des sacs à main et des souliers. Je n'ai pas beaucoup aimé ça.

Agnès

Carte mémoire

cool; chouette; génial; super; ennuyeux; nul

b Ecoute: Où sont-ils allés? C'était comment? (1–8)

Chez toi
Ecris un paragraphe sur un site que tu as visité.
Où es-tu allé(e)? Qu'est-ce que tu as vu/fait? C'était comment?

Exemple: Je suis allé(e) … . J'ai … . C'était …

B Mes vacances

Situé au milieu d'une forêt de chênes, de pins et de châtaigniers, le camping est conçu comme un jardin botanique et révèle les charmes de l'Ardèche Verte.

- Train à vapeur à 7 km
- Safari à 20 km
- Equitation à 10 km
- Tennis à 1 km
- Discothèque à 7 km
- Golf à 12 km
- Supermarché à 4 km
- Descente des gorges en kayak ou canoë

Une journée de vacances

Thierry Leroy

Normalement, on passe la journée dehors. Je me lève vers neuf heures et c'est moi qui dois aller chercher le pain pour le petit déj. Quand je rentre, on mange dehors. Le matin, c'est toujours moi qui débarrasse la table et qui fais la vaisselle – ce sont mes jobs pour la journée. (C'est ma soeur qui le fait à midi et mon père le soir!) Puis, le travail fini, je vais au bar où je rencontre les autres, on bavarde, on joue au ping-pong ou au babyfoot, on traîne, on drague un peu s'il y a des filles, on fait des projets qu'on ne réalise jamais, on discute et voilà, c'est déjà midi.

L'après-midi, mes parents nous proposent une visite ou une activité. On a déjà presque tout visité dans la région. Si je ne veux pas aller avec eux, je reste au camping avec mes amis et on s'amuse. On est tellement paresseux! Le soir, on joue à la pétanque ou on va à la discothèque. Nous y allons à pied mais pas souvent, parce que c'est loin.

L'année dernière, on a fait la descente de la rivière en canoë avec le père d'Annette qui est prof de sport. Ça a duré deux jours. Nous étions une dizaine. Nous avons loué des canoës et nous avons bivouaqué à côté de la rivière. C'était cool. J'ai bu la tasse deux fois et Annette s'est moquée de moi. Alors j'ai renversé son canoë et je l'ai fait tomber à l'eau. On a bien rigolé!

On a apporté des cannes à pêche pour attraper des poissons pour le souper, et on a apporté de la bière aussi. Nous avons fait un feu pour faire cuire les poissons. Heureusement qu'on avait des merguez, parce qu'on n'a attrapé que cinq poissons. Et puis on a chanté et raconté des histoires de fantômes. On n'a presque pas dormi. C'était vraiment cool.

3 a Réponds aux questions.

    1 Comment sais-tu …?

Camping l'Iserand ★★★

        a que ce n'est pas la première fois que Thierry va à l'Iserand
        b qu'il fait normalement beau
        c que Thierry n'est pas très actif
        d qu'il aime les filles
        e qu'il manque d'expérience en canoë
        f qu'il aime la vie en plein air
        g qu'il a le sens de l'humour

    2 Aime-t-il aller au camping l'Iserand? Pourquoi?

    3 Quelle sorte de personne est-il?

b Qu'est-ce qu'il fait? Fais un résumé en adaptant le texte.

    Exemple: Normalement, Thierry se lève …

Pause grammaire 5.3

▶ Entraînement à la page 124 ▶

Stressed personal pronouns (*Les pronoms personnels renforcés*)

These are used

a for emphasis: Ce n'est pas **moi**.
                 – Qui a dit ça? – **Moi**!
                 Moi, j'aime habiter à la campagne.

b after a preposition or after *que*:   Voici mes parents. Je pars avec **eux**.
                                      On va chez **moi**?
                                      Elle est plus grande que **lui**.

subject	stressed	subject	stressed
je	moi	nous	nous
tu	toi	vous	vous
il/elle	lui/elle	ils/elles	eux/elles

---

4 Ecoute: Charline passe ses vacances dans les Alpes. Qu'est-ce qu'elle a fait hier? Remplis son journal.

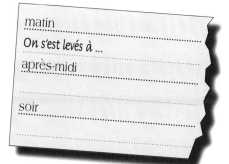

matin
On s'est levés à …
…………………………………
après-midi
…………………………………
…………………………………
soir
…………………………………
…………………………………

Chez toi

Tu as passé des vacances extraordinaires. Où es-tu allé(e)? Qu'est-ce que tu as fait? Ecris une lettre à ton/ta corres et raconte-lui ce qui s'est passé.

Cher David,

J'ai passé des vacances super! Je suis allé

B *En montagne*

5 Read this warning sign.

> ### CE QUE VOUS DEVEZ SAVOIR AVANT DE PARTIR:
>
> Le terrain est plat et égal ici-bas, mais près de la glace il peut être escarpé, raboteux et glissant.
>
> Par une belle journée ensoleillée, le panorama est magnifique près du glacier, mais la glace et la neige sont très aveuglantes.
>
> S'il y a des ours dans la région laissez toute nourriture, y compris boissons, biscuits et bonbons, dans votre voiture.

How much of the warning can you understand without looking up words?

a What is the first part warning you about?
b Can you deduce from the context what *aveuglant* means?
c What are you advised to do and why?

6 Now translate the warning on the right for a friend who doesn't speak French.

> ### ATTENTION!
>
> Ici, il fait peut-être beau et chaud,
>
> > mais près du glacier, il fera peut-être froid et pluvieux.
>
> Ici, pas un souffle de vent et le temps est au beau fixe,
>
> > mais près du glacier, il y aura peut-être des rafales de vent et de poussière.
>
> Ici, la vue est magnifique,
>
> > mais près du glacier, il y aura peut-être du brouillard.

7 When should you go onto the glacier? Why? What should you take with you? Why?

> ### CE QUE VOUS DEVEZ APPORTER:
>
> un chapeau chaud qui vous couvre les oreilles et des gants ou des moufles, un pull-over, un pantalon et un anorak, des bottes solides, des lunettes de soleil, une crème solaire, une carte de la région, une boussole, un appareil photo.

Météo

Samedi

Au-dessus de 1800 m, le temps sera nuageux et pluvieux, malgré la présence de hautes pressions, et restera couvert en matinée. Vers la mi-journée, la couverture nuageuse se dissipera et laissera la place à de belles éclaircies. Le vent de secteur nord sera faible.

Dimanche

La matinée sera ensoleillée. Le soleil sera légèrement voilé l'après-midi. Un vent de secteur nord-ouest soufflera entre 60 et 70 km/h à 1000 m, et entre 80 et 90 km/h à plus de 1800 m.

8 Explain this notice to a friend who doesn't speak French.

```
        PARC NATIONAL DU GLACIER

      ATTENTION: DANGER D'OURS

NOUS RECOMMANDONS AUX VOYAGEURS ET AUX CAMPEURS DE
PRENDRE DES PRECAUTIONS SPECIALES DANS CE SECTEUR
A CAUSE DE LA SITUATION SUIVANTE:

          OURS DANS LES ENVIRONS

Pour plus d'informations, veuillez contacter
le bureau des Gardes (service de 24 heures).
```

9 Read the article.

Foudre et montagne

L'orage. C'est d'abord un spectacle, mais en montagne c'est un danger assez fréquent! La foudre peut blesser, brûler ou tuer.

Si des conditions orageuses sont prévues, ne vous aventurez pas sur les sommets.

Si un orage imprévu arrive, il est recommandé de descendre aussi vite que possible.

Comment sait-on qu'un orage est imminent?
On entend un drôle de bruit comme un bourdonnement d'abeilles.

La peau picote. On peut avoir la sensation de fourmis sur la peau.

Que faire quand vous êtes sur les sommets et que vous ne pouvez pas descendre?
Trouvez l'endroit le moins exposé possible.

Si vous escaladez une paroi, prenez plus de points d'ancrage.

Posez les outils en métal comme les piolets, les crampons et les mousquetons à quelques mètres de vous, mais pas trop loin, vous en aurez besoin pour descendre!

Vérifiez que vous ne portez pas de choses en métal.

Prenez une position accroupie, la tête rentrée dans les épaules.

Si vous êtes sur le glacier, trouvez l'endroit le moins exposé possible et vérifiez bien votre position avec une boussole, parce qu'il peut neiger quand il y a de l'orage en altitude.

Un pour cent des accidents de montagne sont causés par la foudre.

a See how much of the text you can understand without looking up any words: how many of these words do you know or can you guess?
Choose the three words that you think would be the most useful to look up.

Orage: blesser, brûler, coup de foudre, prévu, tuer
Sensations: abeille, bourdonnement, bruit, peau, picoter, fourmi
Montagne: ancrage, boussole, crampons, paroi, piolet, mousquetons, sommet

b Summarise the article for a friend who likes climbing.

Chez toi

Une visite en montagne

a Quels sont les dangers?
b Voudrais-tu faire la visite du glacier? Pourquoi?

Exemple: Je (ne) voudrais (pas) visiter le glacier, parce que …

C Echange scolaire

Samedi matin, les cours ont fini à onze heures et demie et nous sommes allés (moi et mon corres Jake, et Jérôme avec son corres Andrew) directement en ville ... et comme nous avions faim, nous sommes allés tout de suite manger un burger-frites au Quick ... et puis on a fait un peu les magasins, parce que Jake voulait acheter des cadeaux pour sa famille et sa petite copine Ellie en Angleterre ... Finalement, on a acheté des CD et des petits souvenirs ... et puis on est rentrés à la maison.

L'après-midi, on avait l'intention de faire une balade à vélo mais on n'avait pas assez de vélos. Alors on est sortis jouer au foot avec les autres. On a fait les Français contre les Anglais et les Anglais ont gagné, mais ils étaient plus nombreux parce que Thomas n'était pas là ... il avait son cours de musique.

Le soir, on est allés chez Virgile. Il habite dans une ferme. On a apporté des saucisses et on les a faites griller dans le jardin. Puis on a joué au Pictionary et quand il a commencé à faire froid, on est rentrés dans la maison et on a écouté de la musique. On a même dansé un peu. J'ai dansé avec Zoë, qui est très sympa. Je vais aller la voir quand j'irai en Angleterre. Elle habite tout près de chez Jake. Jake sort avec sa soeur.

Le dimanche, on est restés dans les familles. Nous nous sommes levés à neuf heures et nous avons pris un bon petit déj. à la française avec des croissants et des petits pains, parce que pendant la semaine on n'avait eu que le temps d'avaler un bol de céréales. Puis nous sommes allés rendre visite à ma grand-mère à la campagne. Elle nous avait préparé un bon repas et on est restés là-bas tout l'après-midi. On a joué aux cartes et puis nous sommes rentrés. Le soir on a regardé une vidéo et puis on s'est couchés de bonne heure, parce que nos corres devaient partir le lendemain à sept heures du matin.

Philippe

1 Choisis la bonne fin de phrase: (a) ou (b).

  1 Le corres de Philippe s'appelle (a) Andrew (b) Jake.
  2 Samedi matin, ils sont allés (a) au collège (b) chez sa grand-mère.
  3 Ils ont mangé (a) à la maison (b) en ville.
  4 L'après-midi, ils ont (a) fait une balade à vélo (b) joué au foot.
  5 Le soir, ils sont allés chez (a) Zoë (b) Virgile.
  6 Ils ont (a) pique-niqué à la ferme (b) fait un barbecue dans le jardin.
  7 Philippe s'entend bien avec (a) Ellie (b) Zoë.
  8 Dimanche, ils (a) se sont levés de bonne heure (b) ont fait la grasse matinée.
  9 Pour le petit déjeuner, ils ont mangé (a) des croissants (b) des céréales.
10 Le soir, ils ont (a) joué au Pictionary (b) regardé une vidéo.

2 **a** Ecoute et note: Qu'est-ce qu'ils ont fait?
    Recopie et complète l'emploi du temps.

   b Rédige un compte-rendu.

    Exemple: Samedi matin, ils sont allés ...

samedi	dimanche
matin	matin
collège	
après-midi	après-midi
soir	soir

3 Imagine que ta classe a fait une visite en France. Qu'est-ce que tu as fait? Ecris un article pour le journal de ta classe.

Chez toi
Ecris une carte postale de Paris à ton/ta corres.

C A l'auberge de jeunesse

FEDERATION UNIE DES AUBERGES DE JEUNESSE

Auberge REPUBLIQUE

**10, bd de la République
proximité centre-ville**

L'HEBERGEMENT

126 places en chambres de 2, 4, et 8 lits avec cabinet de toilette.
Consignes et laverie automatique.

LA RESTAURATION

restaurant-self

L'ANIMATION

salle de réunion
salle commune avec jeux de société
salle TV
billard, babyfoot, jeux vidéo,
tennis de table, pétanque

LE PRIX

A partir de 125F, petit déjeuner et draps inclus

Auberge LES SAPINS

**2, av des Sapins
sur le lac**

L'HEBERGEMENT

48 places en chambres de 2, 3, 4 lits avec douches et sanitaires communs.

LA RESTAURATION

petit déjeuner, cuisine individuelle

L'ANIMATION

salle de détente avec télé
jeux vidéo, flipper
bicyclettes et planches à louer
terrain de volley
barbecue

LE PRIX

A partir de 113F, petit déjeuner et draps inclus

4 Réponds aux questions.

1 Quelle auberge est la plus grande?
2 Laquelle est en centre-ville?
3 Laquelle est la plus chère?
4 Dans laquelle est-ce qu'il faut cuisiner soi-même?
5 Quelles activités sportives sont offertes par les deux auberges?
6 Laquelle offre le plus de possibilités pour s'amuser le soir?
7 Préfères-tu cuisiner toi-même ou manger au resto?
8 Préfères-tu visiter une grande ville ou aller à la campagne?
9 Quelle auberge préfères-tu? Pourquoi?

Pause grammaire 5.4

Entraînement à la page 124

Relative and demonstrative pronouns (*Les pronoms relatifs et démonstratifs*)

	m sing	*f sing*	*m pl*	*f pl*
Which (one)?	lequel?	laquelle?	lesquels?	lesquelles?
The one …	celui	celle	ceux	celles

celui + qui = *the one who/which*
Lequel des tes amis aime faire du vélo? – *Which of your friends likes …?*
Celui qui a les cheveux longs. – *The one who has …*

celui + -ci = *this one (here)*
celui + -là = *that one (there)*
Il y a deux auberges. Laquelle a un restaurant? – *… Which one has a restaurant?*
Celle-ci/Celle-là. – *This one/That one.*

5 Jeu de rôles: Au bureau d'accueil

Bonjour. Avez-vous des places pour ce soir?

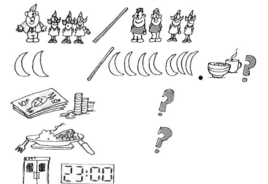

Vous êtes combien?

Vous restez combien de temps?

Oui, le petit déjeuner est servi de 7h30 à 8h30.

10F.

Non, mais il y a une cuisine. Vous pouvez préparer les repas vous-mêmes.

A 23h00.

A 8h00.

6 **a** Lis la lettre.

b Rédige une lettre à l'auberge de jeunesse de ton choix en changeant les mots entre parenthèses.

- Réserve des chambres pour ta classe pour une semaine.
- Vous arriverez en train.
- Vous voulez savoir comment aller à l'auberge de la gare.
- Vous voulez savoir s'il y a un restaurant et l'heure des repas.

> Newcastle, le 20 mai
>
> Monsieur/Madame,
>
> Nous voudrions réserver (vingt-neuf) places pour (douze garçons, treize filles, trois professeurs et le conducteur de car) à votre auberge pour (les sept nuits du 7 au 13 juillet).
>
> Nous voudrions également savoir (combien ça coûtera) et s'il y a la possibilité de (garer notre car près de l'auberge).
>
> Sincères salutations,

Chez toi

Rédige une lettre. Fais une réservation pour toi et ton copain/ta copine.
Vous arriverez à vélo. Vous voudriez savoir jusqu'à quelle heure l'auberge reste ouverte, combien ça coûte et si vous pouvez louer des draps.

Bilan

Check that you can ...

1 talk about France. Name

- five rivers — l'Ardèche, la Dordogne, la Loire, ...
- five mountain regions — les Alpes, le Jura, le Massif Central, ...
- the seas around France — l'Atlantique, la Manche, la mer Méditerranée
- five tourist areas — la Bretagne, la Côte d'Azur, le Midi, ...

2 make comparisons. Say who or what

- is taller, longer, etc. — Le Mont Chogari est plus haut que le Mont Blanc.
  Elle est plus grande que lui.
- is tallest, longest, etc. — La Loire est le fleuve le plus long de France.
  Paul est le plus petit.

3 talk about what you will do in the future. Say

- where you will go — J'irai en France.
- what you will do — Je ferai du kayak.
  Nous jouerons au foot.

4 describe a real or imaginary holiday or outing. Say

- where you went — Nous sommes allé(e)s en Dordogne.
  J'ai fait du camping avec des amis.
  Je suis allé(e) à la pêche avec eux.
- what you saw — On a vu des alligators.
- what you thought of it — C'était chouette/ennuyeux.
- what you did at various times — L'année dernière, j'ai fait un échange scolaire.
  Samedi matin, nous sommes allés au collège.
  L'après-midi, on a fait une promenade.

5 talk about preferences.

- Ask somebody which they prefer — Voici deux auberges. Laquelle préfères-tu?
- Say which one (or ones) you prefer and which somebody else prefers — Je préfère celle qui a un restaurant.
  Il/Elle préfère ceux-là/ceux-ci.

6 book a stay in a youth hostel.

- Explain what accommodation you need — Nous sommes 10 filles et 6 garçons.
- Ask about facilities — Est-ce qu'il y a un restaurant?
- Ask about opening/closing times — L'auberge ouvre/ferme à quelle heure?

Contrôle révision

A Ecoute: De quels stages parlent-ils? Quel stage choisiront-ils?

	1	**Sports d'équipe**	*rugby, football*
	2	**Sports d'aventure**	*parapente, rafting, VTT*
	3	**Sports aquatiques**	*plongée, planche à voile*
	4	**Sports alpins**	*escalade, randonnée*
	5	**Association hippique**	*équitation*

B Parle: Tu pars en vacances en France l'année prochaine.

Où iras-tu?   **Exemples:**   J'irai …
Avec qui?   J'irai avec …
Comment voyageras-tu?   Nous voyagerons …
Que feras-tu?   Je ferai/jouerai/nagerai …

C Lis: La vie en montagne

Camp d'été

Pour les jeunes de 13 à 15 ans

Chaque jour, vous découvrirez un peu plus. Vous apprendrez à vous orienter, à connaître un peu mieux le paysage et les eaux vives, à découvrir les fleurs et les animaux de montagne, à respecter le temps, mais aussi à connaître et à respecter les autres membres du groupe.

Jour 1	Balade en VTT
Jour 2	Traversée du lac en canoë canadien et bivouac sur une île
Jour 3	Retour à l'auberge et jeux: volley, basket, etc.
Jour 4	Séance d'escalade
Jour 5	Descente de la rivière en kayak
Jour 6	Balade en montagne et escalade
Jour 7	A l'auberge: jeux, repos
Jours 8–10	Randonnée de trois jours jusqu'au glacier, deux nuits au refuge
Jours 11–13	Retour à l'auberge pour un apprentissage global de la montagne (faune, flore, vie montagnarde, précautions à prendre, météo etc.), jeux, piscine, repos
Jour 14	Départ

C'est quel jour?

1 J'aurai un pneu crevé, ça m'arrive toujours.
2 Il fera froid là-haut pendant la nuit.
3 On dormira dehors.
4 J'ai peur du vide, mais on m'attachera bien à la corde et je n'aurai pas le choix. Il faudra y aller.
5 Si les eaux sont trop vives on ne nous permettra pas de faire la descente.
6 Tout le monde pleurera, s'embrassera et jurera de s'écrire, et puis on s'oubliera dans deux jours, c'est toujours la même chose.
7 Nous apprendrons ce qu'on peut faire pour survivre en montagne: par exemple, quelles sortes de champignons on peut manger et tout ça.
8 Il faudra mettre des lunettes de soleil pour se protéger les yeux.

D Ecris: Imagine que tu étais au camp d'été. Ecris une lettre à ton/ta corres. Qu'est-ce que tu as fait? C'était comment? Qu'est-ce que tu as aimé le mieux? Qu'est-ce que tu n'as pas aimé?

Exemple: Je suis allé(e) au camp … . J'ai fait … . On a … . C'était …

6 Tour de France

Sur la route

Le saviez-vous?

Le cyclisme est le sport le plus populaire de France. Suivi par plus de dix millions de personnes, le Tour de France, créé en 1903, est une compétition de cyclisme. C'est la plus longue, la plus dure et la plus prestigieuse des courses cyclistes du monde.

La course dure trois semaines et fait une boucle de 3000 km environ. Il y a des étapes en plaine de plus de 300 km, des étapes de montagne moins longues mais très exigeantes et des étapes très courtes (de 50 à 60 km) 'contre la montre'.

Il y a en moyenne cent trente coureurs, de nationalités différentes, répartis en équipes. Celui qui a fait le meilleur temps depuis le début du Tour porte le fameux maillot jaune. Le roi des montagnes porte un maillot blanc aux pois rouges et le champion du jour porte un maillot rouge.

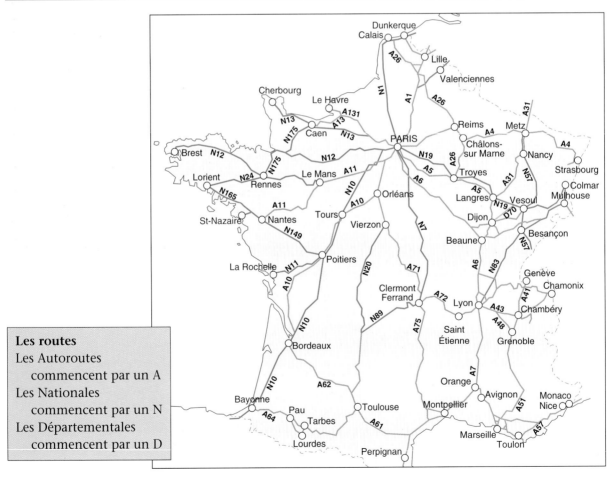

Les routes

Les Autoroutes
    commencent par un A
Les Nationales
    commencent par un N
Les Départementales
    commencent par un D

1 Lis le texte et réponds aux questions.

1 Quel est le sport le plus populaire de France: le foot, la pêche ou le cyclisme?
2 Qu'est-ce que le Tour de France?
3 Quand a eu lieu le premier Tour de France?
4 Il y a environ combien de concurrents?
5 Quelle distance totale font-ils?
6 Quelles sont les différentes étapes?
7 Que signifient le maillot jaune et le maillot rouge?

2 a A deux: Quelles autoroutes est-ce qu'on va prendre?

On va …
1 de Calais à Paris
2 du Havre à Paris
3 de Paris à Bordeaux
4 de Lille à Strasbourg
5 de Paris à Lyon
6 d'Avignon à Marseille
7 du Mans à Paris
8 de Reims à Dijon
9 de Bayonne à Toulouse
10 de Lyon à Grenoble

b Ecoute: Où vont-ils? (1–6)

3 Ecoute: Flash infos. Quelles routes sont conseillées?
Recopie le texte et remplis les blancs.

Si vous vous rendez de Paris à Marseille, nous vous conseillons de partir d'Evry. Empruntez alors la _____ en direction de Melun. Puis prenez la _____ en direction de Fontainebleau. Vous pouvez alors rejoindre la _____ jusqu'à Avallon. A partir d'Avallon, suivez l'itinéraire Bison Futé. Vous éviterez ainsi les bouchons à la hauteur de Beaune et de Lyon.

Suivez les conseils de Bison Futé. Pour toute information supplémentaire, vous pouvez faire le 3615 Code Route sur votre Minitel.

Bison Futé (*The cunning bison*)

C'est un service qui offre des conseils routiers et suggère des itinéraires différents pour éviter les embouteillages au moment des grands départs.

D'abord	on va à …
Puis	on prend (la direction de …/l'autoroute A10)
Ensuite	on passe par (Reims)
Enfin	on continue sur (l'A10)
	on suit (la direction de …/l'A10)

Chez toi
Tu fais le tour de la France.
Quelles routes prends-tu?

A Les transports publics

4 A deux.

a Nommez les moyens de transport que vous connaissez.

b Comment va-t-on ...?

1 à Paris   6 au supermarché
2 aux Etats-Unis   7 chez ton copain/ta copine
3 en ville   8 à la gare
4 au collège   9 en vacances
5 à la piscine

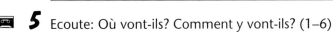

Pour aller	à/au/aux/chez/en ...	on prend/je prends le/la ...
On va/Je vais ...		en/à ...

5 Ecoute: Où vont-ils? Comment y vont-ils? (1–6)

Exemple: 1 Italie, voiture

6 Ecoute: On prend le bus. (1–6)

- C'est quelle ligne?
- Il y a un bus tous les combien?
- Le prochain bus est à quelle heure?
- Où faut-il descendre?

Exemple:
1 Pour aller en ville, il faut prendre le 11.
Il y a un bus toutes les 20 minutes.
Le prochain bus est à 9h15.
Il faut descendre devant la mairie.

Carte mémoire

en ville; au supermarché; à la gare; à la piscine; au cinéma; au parc

N'oubliez pas de composter votre ticket quand vous montez dans le bus!

7 Jeu de rôles: Au bureau d'information

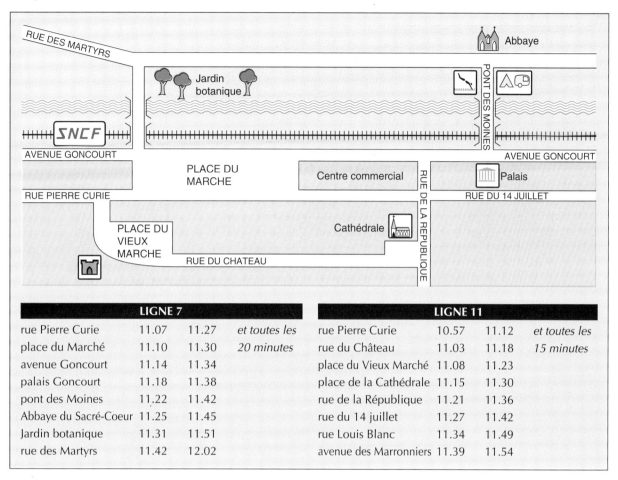

LIGNE 7				LIGNE 11			
rue Pierre Curie	11.07	11.27	*et toutes les*	rue Pierre Curie	10.57	11.12	*et toutes les*
place du Marché	11.10	11.30	*20 minutes*	rue du Château	11.03	11.18	*15 minutes*
avenue Goncourt	11.14	11.34		place du Vieux Marché	11.08	11.23	
palais Goncourt	11.18	11.38		place de la Cathédrale	11.15	11.30	
pont des Moines	11.22	11.42		rue de la République	11.21	11.36	
Abbaye du Sacré-Coeur	11.25	11.45		rue du 14 juillet	11.27	11.42	
Jardin botanique	11.31	11.51		rue Louis Blanc	11.34	11.49	
rue des Martyrs	11.42	12.02		avenue des Marronniers	11.39	11.54	

Bonjour, monsieur/madame.
Je peux vous aider?

(La gare) est (dans la rue/sur la place…).
Il faut prendre le bus. C'est la ligne …

……………

Non, (10 minutes) en bus.

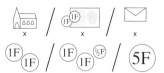

Devant …/En face de …/Au/A la …

Vous pouvez acheter un carnet au tabac, c'est moins cher, ou vous pouvez acheter un ticket au conducteur.

Pour aller 𝗦𝗡𝗖𝗙 / ⬜ / ⬜ s'il vous plaît?

Il y a un bus tous les combien?

C'est loin?

Où est l'arrêt de bus, s'il vous plaît?

Ça coûte combien?

Il faut descendre où?

Où est-ce que je peux acheter un ticket?

Merci beaucoup. Au revoir monsieur/madame.

Chez toi
Explique à un visiteur français comment aller de ton collège …
en ville, à la poste, à la gare, à un hôtel, à l'hôpital etc.

A J'ai vu un accident

8 a Qu'est-ce qui s'est passé? Trouve le bon texte.

A
Mme Bézu est tombée au milieu de l'avenue Clémenceau alors qu'elle sortait du supermarché.

B
William Grelier, quatre ans, qui courait après son ballon a été renversé par une mobylette hier rue Malherbe.

C
Les deux voitures se sont heurtées au carrefour.

D
Benjamin, âgé de 8 ans, a été renversé alors qu'il traversait le pont Mathilde.

E
Un retraité a perdu le contrôle de son vélo hier soir et a heurté la voiture de M. Badour.

F
Le véhicule de M. Norbert a heurté le mur du curé.

b Ecoute: C'est quelle image?

c Ecoute encore une fois: Quelles autres informations est-ce que tu peux noter?

Pause grammaire 6.1 ⟫ ➤Entraînement à la page 125 ➤

The past tenses (*Les temps du passé*)

a You use the imperfect tense for a repeated or interrupted action in the past:

On jouait au foot. – *We were playing football.*

b You use the perfect tense for a single action in the past:

Le garçon est arrivé à toute allure. – *The boy came really fast.*

9 **a** Qu'est-ce qui s'est passé? Un agent de police t'interroge. Prépare tes réponses.
(C'est toi en pull rose et jean bleu.)

1 Vous étiez où? Que faisiez-vous?
2 Pourquoi ton copain Gilles a-t-il couru dans la rue?
3 Qu'est-ce qui s'est passé après?
4 Qu'est-ce que tu as fait?
5 Qu'est qui leur est arrivé?

Exemple: 1 Je jouais au foot avec mon copain Gilles devant l'école.

b Prépare un compte-rendu pour le journal de ton collège.

Flash langue

Talking about accidents

J'ai eu/vu un accident. – *I had/saw an accident.*
Il/Elle est tombé(e) dans la rue/l'escalier. – *He/She fell in the road/on the stairs.*
　　　　a été renversé(e) par une voiture/mobylette. – *He/She was knocked down by …*
　　　　a heurté le mur/la porte. – *He/She bumped into the wall/the door.*
Une ambulance l'a emmené(e). – *He/She was taken away in an ambulance.*
La voiture s'est écrasée contre le mur. – *The car smashed into the wall.*

Chez toi

Imagine que tu as vu un accident. Raconte ce que tu as vu.

B Sur les routes de France

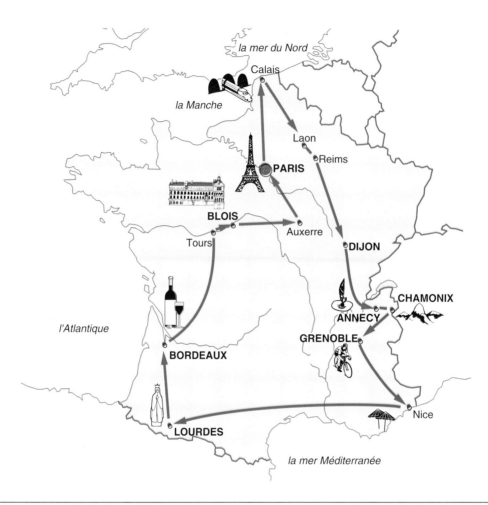

La famille Smith fait le tour de la France

SAMEDI 12 JUILLET: Jour J. Nous partirons en voiture, mes parents, ma soeur et moi. Nous prendrons le Shuttle et nous arriverons à Calais. Puis on prendra l'autoroute vers le sud: Laon, Reims, Dijon. On passera la nuit dans un hôtel à Dijon.

DIMANCHE 13: Dijon, Annecy. On ira au camping 'le Bord du lac'.

LUNDI 14: Annecy. On visitera la ville.

MARDI 15: Annecy. On fera de la planche sur le lac.

MERCREDI 16: Annecy, Chamonix. On fera un tour dans les Alpes pour voir le mont Blanc et on passera la nuit dans un hôtel à Chamonix.

JEUDI 17: Chamonix, Grenoble. On ira chez des amis de mon père qui habitent près de Grenoble.

VENDREDI 18: Grenoble. On fera un petit tour à vélo avec eux.

SAMEDI 19: Grenoble, Côte d'Azur. On repartira en voiture pour aller sur la Côte d'Azur. Nous y passerons une semaine dans un camping. On fera de la natation et de la plongée et on bronzera.

SAMEDI 26: Côte d'Azur, Lourdes. On ira à Lourdes, dans les Pyrénées, parce que ma mère a toujours voulu y aller.

DIMANCHE 27: Lourdes, Bordeaux. On s'arrêtera dans la ville de Bordeaux.

LUNDI 28: Bordeaux. On visitera un vignoble.

MARDI 29: Bordeaux, Poitiers.

MERCREDI 30: Tours, Blois. On visitera le château de Blois, un des châteaux de la Loire.

JEUDI 31: Auxerre, Paris. On ira à Paris et on y restera pendant deux jours.

VENDREDI 1ER AOUT: Paris. On visitera Paris.

SAMEDI 2 AOUT: Paris, Angleterre. On prendra l'autoroute et le Shuttle pour rentrer.

1 Aujourd'hui, hier et demain

   a C'est quel jour? Où sont-ils? Que font-ils?

   b Qu'est-ce qu'ils ont fait hier?

   c Que feront-ils demain?

     Exemple: 1 C'est le 14 juillet. Ils sont à Annecy. Ils visitent la ville.
               Hier, ils ont fait le trajet Dijon–Annecy. Demain, ils feront de la planche.

1

2

3

4

5

6

7

8

9

2 Ecoute: Qu'est-ce qu'elle a fait? C'était comment?

Super!

Chouette!

Ennuyeux!

Bof!

Génial!

Cool!

3 Imagine que tu es allé(e) avec eux.
Rédige un compte-rendu de tes vacances.

   Exemple: Je suis allé(e) …
               Nous sommes allés …
               Nous avons visité …

Carte mémoire

d'abord; puis; ensuite; le lendemain; après avoir visité …; pendant notre visite

Chez toi

Tu pars faire le tour de la France. Prépare ton itinéraire.

Exemple: Jour 1: Le premier jour nous partirons …

B Mes vacances en France

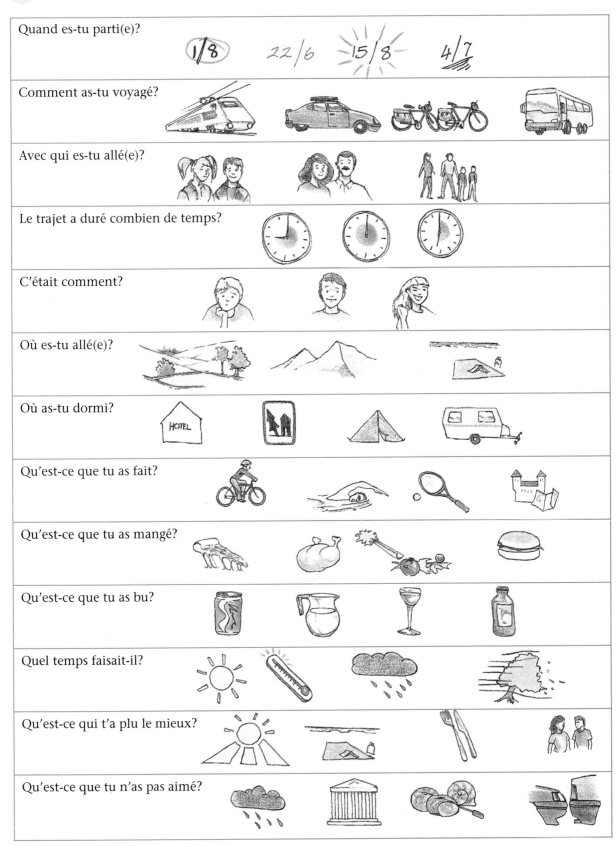

Quand es-tu parti(e)?	1/8 22/6 15/8 4/7
Comment as-tu voyagé?	
Avec qui es-tu allé(e)?	
Le trajet a duré combien de temps?	
C'était comment?	
Où es-tu allé(e)?	
Où as-tu dormi?	HOTEL
Qu'est-ce que tu as fait?	
Qu'est-ce que tu as mangé?	
Qu'est-ce que tu as bu?	
Quel temps faisait-il?	
Qu'est-ce qui t'a plu le mieux?	
Qu'est-ce que tu n'as pas aimé?	

4 **a** Rédige un journal de voyage et enregistre-le.

Exemple: Samedi, je suis/nous sommes …

b Ecris des cartes postales à des amis français.

c Ecris un article sur ta visite pour le journal de ton collège.

5 Qu'est-ce qui s'est passé?

a Fais correspondre les textes et les images.

b Ecoute: C'est quel incident?

1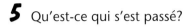
Grands départs: 3 millions de voitures sur les routes.

2
L'Eurostar en provenance de Londres a deux heures de retard à cause d'inondations.

4 **Grave accident sur l'A26**
L'autoroute est fermée pendant quatre heures.

5 **FEUX DE FORET**
Evacuation des campings

3 GREVE DES CONTROLEURS AERIENS FERME L'AEROPORT.

A

B

C

D

E

Chez toi
Ecris une histoire.

Exemple: (Brice et Thomas/Carole et Sandrine) sont parti(e)s faire un tour à la campagne à vélo. Ils/Elles ont dressé la tente dans un petit bois à côté de la route …

B Bulldozers contre papillons

1
Finalement une décision:
on va construire un périphérique autour de Papillonville!

2
PLUS DE POIDS LOURDS EN CENTRE-VILLE!

3
'Sauvez nos papillons!'

4
LA ROUTE TRAVERSERA LES PRAIRIES … LES PAPILLONS VONT PERDRE LEUR HABITAT, DES ARBRES SERONT ABATTUS … ET DES PLANTES SAUVAGES VONT ETRE DÉTRUITES.

5
Les commerçants se plaignent: «Nous allons perdre notre clientèle!»

6
Une ville plus sûre pour nos enfants
Moins de pollution en ville, nous allons mieux respirer.

7
Six mois de bulldozers et de camions pour construire le périphérique

8
LES GENS DU COIN PROTESTENT AFIN DE SAUVER LES PAPILLONS QUI ONT DONNÉ LEUR NOM À NOTRE VILLE!

L'éminent entomologiste M. Bertrand a déclaré que la construction du périphérique entraînera la destruction de la plus grande colonie de papillons tachetés de rose en Europe occidentale.

9
UNE VILLE ISOLÉE!
Les touristes ne vont plus visiter notre ville.

10
Une nouvelle route apportera plus de circulation, selon la police

abattre = *to cut down*
camion = *lorry*
circulation = *traffic*
construire = *to build*
détruire = *to destroy*
entomologiste = *entomologist (person who studies insects)*
gens du coin = *local people*
mieux = *better*
moins = *less*
occidental(e) = *western*
papillon = *butterfly*
périphérique = *ring road*
poids lourd = *heavy vehicle, lorry*
se plaindre = *to complain*
selon = *according to*
tacheté(e) = *spotted*

6 **a** A deux: Lisez les textes et décidez quels textes sont pour le périphérique et lesquels sont contre.

b Ecoute: Pour ou contre? (1–6)

7 A deux: Faites la liste des avantages et des inconvénients d'un périphérique.

Flash langue

Expressing your opinion:

Je pense que = *I think that*
Je crois que = *I believe that*
Selon moi = *In my opinion*
A mon/notre avis = *In my/our opinion*
Je trouve = *I find/think*

Carte mémoire

C'est plus/moins dangereux
Il y a plus de/moins de …
la pollution; les gaz d'échappement;
la circulation; les piétons

8 Avant et après le périphérique: Trouve les différences.

A

B

Chez toi

On va construire une autoroute devant ta maison.
Ecris une lettre à ton journal local pour ou contre la construction de l'autoroute.

Exemple: Je vous écris pour protester/pour vous féliciter. Je trouve que …

 ## *Bilan*

Check that you can ...

1 talk about travelling in France.

- Name ten French towns and say where they are
- Describe how to get somewhere by road

- Name five means of transport

Calais est dans le nord.
Nice est sur la Côte d'Azur.
On prend l'A10, on passe par Reims et on continue sur ...
On voyage en bus, en car, en train ...

2 talk about bus travel. Ask and tell somebody

- which bus to get

- what time the next bus goes

- how often it runs

- where the stop is

- where to get off the bus

C'est quelle ligne?
Vous prenez la ligne 8.
Le prochain bus est à quelle heure?
Le prochain bus est à 9h30.
Il y a un bus tous les combien?
Il y a un bus toutes les dix minutes.
Où est l'arrêt de bus?
L'arrêt est en face de la poste.
Il faut descendre où?
Vous descendez devant la gare.

3 tell somebody about an accident.

- Say you have seen or had an accident
- Describe what happened

J'ai eu/vu un accident.
Il/Elle est tombé(e) dans la rue/
a été renversé(e) par une voiture.
La voiture s'est écrasée contre le mur.

4 talk about a real or imaginary tour of France. Say

- where you went
- what you did
- what order you did things in

- whether you enjoyed it or not
- what went wrong

Je suis allé(e) à Bordeaux.
Nous avons visité la ville.
D'abord, ... puis, ... et ensuite, ...
Le lendemain, nous sommes partis.
C'était génial/fatigant/intéressant.
L'aéroport était fermé.
Le train avait deux heures de retard.

5 express your opinion:

Je pense/Je crois que la route augmentera la circulation.
Selon moi/A notre avis, la ville sera plus sûre pour nos enfants.

Contrôle révision

A Ecoute: Où vont-ils? Comment? Copie et complète la grille. (1–8)

	Destination	Ligne	Horaires	Autres informations
1	hôtel Bellevue	15	à 9h20	dans 8 minutes, bus toutes les 20 minutes, descendre au pont St-Michel
2				

B Parle: Tu as passé des vacances en France.
Raconte ta visite à ton/ta correspondant(e).

Exemple: On est partis … . On a pris … .
Ensuite on est allés …

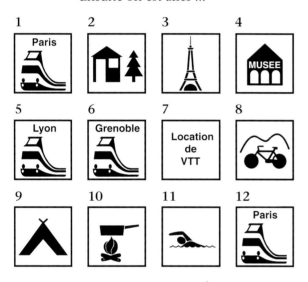

1 Paris
2
3
4 MUSEE
5 Lyon
6 Grenoble
7 Location de VTT
8
9
10
11
12 Paris

C Lis le texte.

UN ACCIDENT AU COLLEGE

Mardi dernier, il y a eu un accident au collège Rousseau, rue du Grand Tour. Un enfant s'est cassé une jambe et un autre s'est cassé le bras.

Le concierge brûlait des feuilles mortes dans la cour lorsque le vent a changé de direction. La fumée est entrée dans le foyer du bâtiment et a déclenché l'alarme d'incendie. Certains professeurs, croyant qu'il y avait vraiment un feu, ont évacué leurs élèves. Dans la bousculade générale qui s'est ensuivie, les plus jeunes élèves ont paniqué et quelques-uns sont tombés dans l'escalier. Il ne fallait que quelques secondes aux professeurs pour arrêter la bousculade et sauver les élèves tombés mais il était trop tard.

Plusieurs élèves ont été blessés. Ils ont été soignés par les sapeurs-pompiers qui sont arrivés quelques minutes plus tard. Deux élèves ont été emmenés à l'hôpital pour fracture.

Un accident au collège: Vrai ou faux?

1 Il y a eu un incident au collège Rousseau.
2 Il y a eu un incendie dans un laboratoire.
3 La fumée est entrée dans les salles de classe.
4 Les profs n'ont rien fait.
5 Les élèves les plus jeunes ont paniqué.
6 Il y a eu une bousculade dans l'escalier.
7 Deux élèves ont été blessés.
8 Plusieurs élèves ont été transportés à l'hôpital.
9 Les sapeurs-pompiers sont vite arrivés.
10 La fumée de la pipe du concierge a déclenché l'alarme d'incendie.

D Ecris: Imagine que tu étais là. Rédige un rapport sur l'incident.

Exemple: Je passais par la rue du Grand Tour quand …

Entraînement

Pause grammaire 1.1 *Verbs in the present tense*
(page 6)

Talking about	Form	Usually ends in
• yourself (I)	**je**	-e or -s
• someone else (he/she/it)	**il/elle/on**	-e or -t
• yourself and others (us)	**nous**	-ons
• more than one person (they)	**ils/elles**	-ent
• 'you'	**tu** or **vous**	-s or -ez

Asking questions

• you often put the **tu** or **vous** after the verb: As-tu? Avez-vous?

A **Avoir** et **être**. Copie et complète.

avoir – *to have*
1 ...-tu?
2 Paul et Eric ...
3 Nous ...
4 J'...
5 ...-vous?
6 Madeleine ...

être – *to be*
7 Nous ...
8 Benjamin ...
9 Je ...
10 Mes copains ...
11 Tu ...
12 Vous ...

B **Avoir** ou **être**? Copie et complète.

1 Elle ... française.
2 Elle ... treize ans.
3 Ses copains ... italiens.
4 Nous ne ... pas français.
5 ...-vous un crayon pour moi?

6 ...-tu fatigué(e)?
7 J'... un chien et un chat.
8 ...-tu un animal?
9 Ils n'... pas d'animaux.
10 Je ... sportif/ive.

C Verbes en **-er**. Copie et complète.

aimer – *to like*
1 J'... les pizzas.
2 ...-tu les pizzas?
3 Mon frère et moi, nous ... le foot.
4 ...-vous le foot?
5 Ma soeur n'... pas le tennis.
6 Mes parents ... le sport.

habiter – *to live*
7 Où ...-tu?
8 J'... en ville.
9 Mes grands-parents ... à la campagne.
10 Nous ... dans un appartement.
11 Mon copain ... chez son père.
12 Où ...-vous?

D Copie et complète en utilisant les verbes suivants.

écouter; habiter; jouer; regarder; travailler

1 Où *habites*-tu?
2 Ils ... la radio.
3 Où ...-tu? Dans un bureau?
4 J'... de la musique.
5 Nous ... en banlieue.
6 Nous ... au football.
7 Je ... les documentaires sur la nature.
8 Mon père ... les émissions de sport à la télé.
9 ...-vous au foot?
10 Ma mère ... dans un bureau.

E Verbes en **-re** et **-ir**. Copie et complète.

répondre – *to reply*
1 Il ...
2 Ils ...
3 Je ...
4 ...-tu?
5 ...-vous?
6 Nous ...

finir – *to finish*
7 Je ...
8 Nous ...
9 ...-vous?
10 Elle ...
11 ...-tu?
12 Ils ...

F Copie et complète en utilisant les verbes suivants.

choisir; finir; remplir; répondre; descendre

1 Vous rem... les blancs.
2 Il rép... aux questions.
3 Ils fin... le livre.
4 Nous chois... nos couleurs préférées.
5 Elle desc... l'escalier.
6 Je rem... la fiche.
7 Nous rép... à la lettre.
8 Vous desc... la rue.
9 Quel look chois...-tu?
10 Nous fin... l'exercice.

G Copie et complète en utilisant les verbes suivants.

aimer; choisir; descendre; écouter; finir; habiter; jouer; parler; répondre; travailler

1 Nous ... au football.
2 Il écou... la radio.
3 Je trav... dans ma chambre.
4 Ils fin... le travail.
5 Où habi...-vous?
6 Elle ... espagnol.
7 ... votre couleur préférée!
8 Moi, j'... le bleu.
9 Elle ... aux questions.
10 ... la rue et tournez à gauche!

Pause grammaire 1.2 *Useful irregular verbs* (page 7)

A Copie et complète.

faire – *to do*
1 ...-vous du sport?
2 Les enfants ... du vélo.
3 Je ... mes devoirs.
4 Ma copine ... du sport.
5 Nous ... de la planche.
6 Que ...-tu?

aller – *to go*
7 Je ... au collège.
8 Nous ... en ville.
9 Ma soeur ... chez son copain.
10 Où ...-vous?
11 Mes parents ... au cinéma.
12 ...-tu au McDo?

B Copie et complète.

lire – *to read*	sortir – *to go out*	manger – *to eat*
1 Je ...	7 Il ...	13 ...-tu?
2 Mon frère ...	8 Nous ...	14 Je ...
3 Mes copains ...	9 Je ...	15 Nous ...
4 ...-tu?	10 ...-vous?	16 Ils ...
5 ...-vous?	11 Sophie ...	17 ...-vous?
6 Nous ...	12 ...-tu?	18 Thierry ...

C Copie et complète en utilisant les verbes suivants.

avoir; aimer; être; faire; habiter; jouer

1 Je ... assez grand. J'... treize ans. J'... à Nancy, en France. Je ... du cyclisme et je ... au foot.
2 Quelle sorte de personne ...-tu? Quel âge ...-tu? Où ...-tu? ...-tu du sport? ...-tu jouer au rugby?
3 Murielle ... petite. Elle ... quatorze ans. Elle ... à Paris. En hiver, elle ... du ski et en été, elle ... au tennis.
4 Nous ... sportives. Nous ... quatorze ans. Nous ... à Nancy. Nous ne ... pas de ski mais nous ... au volley.
5 ...-vous sportive? ...-vous des frères et soeurs? Où ...-vous? ...-vous du sport? ...-vous au tennis?
6 Pablo et José ... espagnols. Ils ... un grand chien noir. Ils ... à Madrid. Ils ... du cyclisme et ils ... au rugby.

D Copie et complète en utilisant les mêmes verbes que dans l'exercice C.

1 Je m'appelle Florent. Je ... assez grand. J'... treize ans. J'... à Nancy, en France. J'... jouer au foot et je ... du cyclisme.
2 Comment t'appelles-tu? ...-tu bavarde? ...-tu 15 ans? Où ...-tu? ...-tu jouer au basket? ...-tu du ski?
3 Elle s'appelle Isabelle. Elle ... petite. Elle ... quatorze ans. Elle ... bavarde. Elle ... au tennis en été et en hiver, elle ... du ski.
4 Nous nous appelons Sophie et Aurélie. Nous ... jumelles. Nous ... sportives. Nous ... quatorze ans. Nous ... jouer au tennis et aller au cinéma. Nous ne ... pas de ski mais nous ... du surf.
5 ...-vous des frères et soeurs? ...-vous faire du sport? ...-vous au tennis? Où ...-vous?
6 Aline et Lise ... un chien qui s'appelle Bruno. Elles ... nager et faire du sport. Elles ... au tennis. Elles ... françaises. Elles ... à Paris.

E Copie et complète les textes en utilisant les verbes indiqués.

> être; avoir; habiter; faire; jouer

Mario … italien, mais il … en France. Ses parents … à Paris. Ils … un restaurant. Ils … des pizzas. Il … un frère et une soeur. Mario et son frère … sportifs. Ils … du cyclisme et ils … au foot. Sa soeur s'appelle Carla. Elle … douze ans. Elle n'… pas sportive.

> aller; avoir; être; faire; habiter; manger; sortir

Nous … dans un petit village. Notre jardin … grand et nous … beaucoup d'arbres. Ma soeur et moi, nous … au collège en car de ramassage. Le soir, nous …, nous … nos devoirs et nous … . Mes copains … souvent devant le supermarché et on … du rollerblade ou du skate sur le parking. Si je … en ville, je … chez mon copain Thomas, qui … dans un appartement.

> aller; faire; habiter; jouer; lire; manger; prendre; regarder; sortir

J'… en banlieue. Je … au collège à pied mais pour rentrer, je … le métro. Le soir, je …, je … mes devoirs et je … . Je … au Café des Sports où on … au billard. En rentrant, je … une BD ou je … la télé avant de me coucher. Alex

Pause grammaire 1.3 *Possessive adjectives* (page 9)

> Rappel: Use **mon/ton/son** with feminine nouns beginning with a vowel or a silent **h**: **mon amie, son histoire**

A **Mon, ma, mes.** Copie et complète.

1	… père	6	… ami
2	… mère	7	… amis
3	… frère	8	… cousins
4	… soeur	9	… chien
5	… grand-parents	10	… chat

B **Ton, ta, tes.** Copie et complète.

1	… copain	6	… devoirs
2	… copine	7	… baskets
3	… école	8	… clés
4	… amie	9	… montre
5	… profs	10	… porte-monnaie

C **Son, sa, ses.** Copie et complète.

1	… sac	6	… règle
2	… affaires	7	… serviette
3	… stylo-bille	8	… ciseaux
4	… crayon	9	… bâton de colle
5	… livre	10	… cahiers

D Notre, nos. Copie et complète.

1 ... jardin
2 ... plantes
3 ... voiture
4 ... garage
5 ... maison

6 ... chambre
7 ... ordinateur
8 ... jeux vidéo
9 ... animaux
10 ... vacances

E Votre, vos. Copie et complète.

1 ... mains
2 ... bouche
3 ... jambe
4 ... cheveux
5 ... yeux

6 ... doigts
7 ... dos
8 ... genoux
9 ... tête
10 ... oreilles

F Leur, leurs. Copie et complète.

1 ... sac
2 ... affaires
3 ... livres
4 ... appartement
5 ... chien

6 ... voiture
7 ... copains
8 ... copine
9 ... frère
10 ... parents

G Mets les mots soulignés au pluriel.

Exemple: As-tu vu <u>mon frère</u>? – As-tu vu *mes frères*?

1 Voici <u>mon chien</u>.
2 Il a perdu <u>son gant</u>.
3 As-tu vu <u>son chat</u>?
4 J'ai perdu <u>mon cahier</u>.
5 Connais-tu <u>mon copain</u>?

6 Il a rangé <u>son pull</u>.
7 J'ai oublié <u>mon livre</u>.
8 Connaissez-vous <u>notre prof</u>?
9 As-tu vu <u>leur soeur</u>?
10 Il a invité <u>son amie</u>.

H Son, sa, ses. Copie et complète.

Didier a une grande chambre. Dans ... chambre il a ... lit, une table et deux chaises. Sur la table il y a ... ordinateur. Il fait ... devoirs sur ... ordinateur. Il range ... vêtements dans ... armoire, ... chaussettes dans ... tiroirs, et ... livres sur ... étagère.

I Mon, ma, mes. Copie et complète.

Dans ... sac, j'ai ... trousse, ... affaires de gym, ... porte-monnaie, ... ticket de bus et ... baladeur. Dans ... trousse, j'ai ... crayons, ... calculette, ... ciseaux et ... stylo.

Pause grammaire 1.4 *Reflexive verbs* (page 10)

A Copie et complète avec les pronoms réfléchis **me, te, se, nous, vous**.
Traduis les phrases en anglais.

1 Je ... lève à sept heures.
2 Ils ... reposent.
3 Nous ... couchons de bonne heure.
4 Les jeunes ... amusent.
5 Tu ... laves les dents!

6 Vous ... réveillez à quelle heure?
7 Ils ... entendent bien.
8 Je ... habille.
9 Les garçons ... intéressent aux matchs de foot.
10 Nous ... occupons du bébé.

B Copie et complète avec les verbes pronominaux entre parenthèses.

1 Je ... à huit heures. (se lever)
2 Tu ... à quelle heure? (se coucher)
3 Mon père ... à six heures.
   (se réveiller)
4 Le week-end, nous ... à neuf heures.
   (se lever)
5 Le samedi, ils ... à dix heures et
   demie. (se coucher)

6 Nous ... bien. (s'entendre)
7 Elle ... de son petit frère. (s'occuper)
8 Son père ... devant la télé. (se reposer)
9 Quand je suis fatiguée, je ... tôt. (s'endormir)
10 Vous ... à quelle heure? (se lever)

C Copie et complète avec les verbes suivants.

se coucher; s'endormir; s'habiller; se lever; s'occuper; se reposer; se réveiller

J'habite avec mon père. Il ... à six heures du matin mais il reste au lit encore dix minutes, puis il ..., prend sa douche et ... . Quand il a fini, je ..., je prends ma douche, je ... et je vais dans la cuisine. Mon père ... du petit déjeuner mais c'est moi qui ... du dîner. Quand il rentre, il est toujours fatigué et il ... devant la télé. Si l'émission est ennuyeuse, il ... . Je ... à neuf heures et il ... un peu après.

Pause grammaire 1.5 *The perfect tense of verbs with avoir* (page 13)

A Les participes passés réguliers des verbes en **-er**. Copie et complète la grille.

	anglais	infinitif	participe passé
1	to buy	acheter	acheté
2		débarrasser	
3		dîner	
4		donner	
5		écouter	
6		inviter	
7		jouer	
8		laver	
9		manger	
10		oublier	
11		préparer	
12		ranger	

B Qu'est-ce qu'ils ont fait pour la fête des mères? Copie et complète.

1 J'ai ... une carte et des fleurs.
2 Mon père a ... des chocolats à notre mère.
3 Mon petit frère a ... le petit déjeuner pour mes parents.
4 Nous avons ... des croissants.
5 Ma petite soeur a ... la table.
6 Mon père a ... la vaisselle.
7 Mon grand frère a ... . Il n'... rien fait.
8 Ma grande soeur a ... sa chambre.
9 A midi, grand-mère a ... toute la famille.
10 Le soir on a ... au resto.

C Les participes passés des verbes en **-re** et **-ir**, et les participes passés irréguliers. Copie et complète la grille.

	anglais	infinitif	participe passé
1	to have	avoir	eu
2		boire	
3		dire	
4		dormir	
5		être	
6		faire	
7		finir	
8		lire	
9		mettre	
10		perdre	
11		prendre	
12		recevoir	
13		répondre	
14		voir	
15		vouloir	

D Qu'est-ce qu'ils ont fait samedi dernier? Mets les phrases au passé composé.

1 Ma soeur a mal à la tête.
2 Elle est très malade.
3 Elle lit mes BD.
4 Je mets la table.
5 Mon frère boit mon chocolat chaud.
6 Mon père perd les clés de sa voiture.
7 Il appelle le garage.
8 Il prend le métro pour aller en ville.
9 Ma mère reçoit une invitation.
10 Elle répond tout de suite.

E Mets la lettre au passé composé.

Je suis malade. J'ai la grippe. Je ne mange rien, mais je bois beaucoup d'eau. Le médecin me donne des cachets. Je prends deux cachets toutes les trois heures. Je ne fais pas mes devoirs et je rate un contrôle de maths. Je dors beaucoup et je lis des magazines. Jean-Luc

Pause grammaire 1.6 *The perfect tense of verbs with être* (page 17)

A Les participes passés. Copie et complète la grille.

	anglais	infinitif	participe passé
1	to go	aller	allé
2		arriver	
3		descendre	
4		entrer	
5		monter	
6		partir	
7		rentrer	
8		repartir	
9		rester	
10		sortir	
11		tomber	
12		venir	

B Copie et complète.

1 Je ... allé au cinéma.
2 Ils ... arrivés de bonne heure.
3 A quelle heure ...-vous partis?
4 M. Albert ... monté par l'escalier.
5 Mme Albert ... restée à la maison.
6 Le train ... parti à deux heures.
7 Nous ... venus à pied.
8 ...-vous entrés dans le château?
9 Nous ... sortis à dix heures.
10 Tu y ... allée en bus ou en train?

C L'année dernière. Copie et trouve la bonne fin de phrase.

1	Elodie et Chloë	êtes-vous allés?
2	Nicolas	est allé à Paris.
3	Louis et ses parents	n'est allé aux Etats-Unis.
4	Marcel et Sophie, où	sommes allé(e)s en Provence.
5	Je	es-tu allé?
6	Martine	es-tu allée?
7	Nous	sont allées sur la Côte d'Azur.
8	Alexia, où	est allée en Afrique.
9	Fabien, où	sont allés à la campagne.
10	Personne	suis allé(e) au bord de la mer.

D Copie et complète en mettant les verbes entre parenthèses au passé composé.

1 La semaine dernière nous ... à Paris. (aller)
2 Le train ... avec une demi-heure de retard. (arriver)
3 Nous ... dans le train et le train ... . (monter/partir)
4 Quand nous ..., nous ... du train à la Gare Saint-Lazare. (arriver/descendre)
5 Nous ... de la gare et nous ... par le boulevard Saint-Germain. (sortir/passer)
6 Mon copain français ... nous rejoindre. (venir)
7 Il ... en Algérie, mais il habite à Paris depuis dix ans. (naître)
8 L'année dernière sa famille ... en Algérie pour les vacances. (rentrer)
9 Pendant le séjour, son frère aîné ... et ... à l'hôpital. (tomber/aller)
10 Quand les autres ..., il ... en Algérie. (rentrer/rester)

E Copie en écrivant la bonne terminaison.

1 Nous sommes allé... au cinéma.
2 Marie est arrivé... en retard.
3 Paul n'est pas arrivé... .
4 Sylvie, à quelle heure es-tu descendu...?
5 Antoine et Marc, vous êtes parti... à quelle heure?
6 Paul et Marc sont déjà sorti... .
7 Nicole est monté... au premier étage.
8 Sarah est resté... chez elle.
9 Elles sont rentr... à la maison.
10 Mes parents sont rest... à la maison.

> Rappel: All reflexive verbs use **être** to form the perfect tense.

F Les verbes pronominaux. Mets les phrases au passé composé. Traduis-les en anglais.

Exemple: Je me lave. – Je me suis lavé(e). *I got washed.*

1 Je m'habille.
2 Je me réveille à sept heures.
3 Il se lève.
4 Nous nous intéressons aux jeux vidéo.
5 Vous vous occupez de la vaisselle.
6 Il se présente.
7 Son père se repose.
8 Ils s'amusent.
9 Elles s'entendent tout de suite.
10 Elle se couche de bonne heure.

G Samedi dernier. **Avoir** ou **être**? Copie et complète avec un verbe au passé composé.

1 Je *suis allé* au marché pour maman.
2 J'... deux baguettes, du beurre et du lait.
3 Je ... à la maison.
4 Puis je ... avec mes copains.
5 Nous ... au McDo.
6 J'... un beefburger et j'... un Coca.
7 On ... le bus.
8 Nous ... au cinéma.
9 Nous ... un film de Gérard Depardieu.
10 Le soir, j'... la télé.

H Lundi dernier. Copie et mets les phrases au passé composé.

1 M. Dunard se réveille à six heures.
2 Il prend le train pour aller à Paris.
3 Il arrive à 9h30.
4 Il va directement au bureau.
5 A midi il mange dans un bon restaurant.
6 Après le déjeuner, il visite un musée.
7 Le soir il va au théâtre.
8 Il sort tard.
9 Il rate le train.
10 Il passe la nuit dans un hôtel.

Pause grammaire 2.1 *En, à, au* or *aux?* (page 25)

A Copie et complète avec **en**, **à**, **au** ou **aux**.

1 Je vais ... Paris.
2 Romano habite ... Italie.
3 Ils habitent ... Burkina Faso.
4 Carmen habite ... Espagne.
5 Québec est ... Canada.
6 Bruce et Sandra habitent ... Australie.
7 Orlando se trouve ... Etats-Unis.
8 Patrice va ... Pays-Bas.
9 Nous allons ... Allemagne.
10 Sylvie va ... Japon.

B Copie et complète avec **en**, **à**, **au** ou **aux**.

Exemple: Pour aller ... ? (Le Mans) – Pour aller *au* Mans?

1 Pour aller ...? (Calais)
2 On fait du ski ... . (Les Menuires)
3 Le ferry arrive ... . (Le Havre)
4 On passe les vacances ... . (Le Lavandou)
5 Ils sont allés ... . (Les Deux Alpes)
6 Nous sommes allés ... . (Le Touquet)
7 On va ... . (Rouen)
8 Ils sont allés ... . (le Cap Ferret)
9 Nous sommes allés ... . (les îles de Lérins)
10 Ils veulent aller ... . (les Antilles)

Pause grammaire 2.2 *Adjectives* (page 25)

Rappel: An adjective agrees with the noun it describes:

m	f	m pl	f pl
bavard	bavarde	bavards	bavardes
moderne	moderne	modernes	modernes
actif	active	actifs	actives
industriel	industrielle	industriels	industrielles
ennuyeux	ennuyeuse	ennuyeux	ennuyeuses

A Copie et complète avec la bonne forme de l'adjectif.

1 Un garçon (actif)
2 Des films (ennuyeux)
3 Des villes (industriel)
4 Une femme (bavard)
5 Une fille (sportif)

6 Un chien (méchant)
7 Un appartement (moderne)
8 Des filles (paresseux)
9 Une leçon (important)
10 Des enfants (actif)

B Masculin (**un**) ou féminin (**une**)?

1 appartement
2 château
3 village
4 magasin
5 maison

6 pont
7 port
8 ville
9 région
10 rue

Common irregular adjectives

m	f	m pl	f pl
nouveau*	nouvelle	nouveaux	nouvelles
beau*	belle	beaux	belles
vieux*	vieille	vieux	vieilles
long	longue	longs	longues
gros	grosse	gros	grosses
bon	bonne	bons	bonnes

*nouvel/bel/vieil before a masculine noun beginning with a vowel:
un nouvel/bel/vieil ami

Rappel: Some frequently used adjectives come in front of the noun,
e.g. petit; grand; beau; bon; gros; haut; joli; long; mauvais; vieux

---

C Copie et complète avec la bonne forme de l'adjectif.

1 Un (vieux) château
2 Une (joli) maison
3 Des (nouveau) ponts
4 Un (beau) appartement
5 Une (vieux) maison

6 Un (grand) port
7 Une (beau) région
8 Une (long) rue
9 Une (beau) vue
10 Un (petit) village

D Copie et complète avec la bonne forme de l'adjectif.

1 J'ai une ... soeur. (grand)
2 Nous habitons dans une ... maison. (petit)
3 La maison est dans la ... ville. (vieux)
4 Notre région est très ... . (beau)
5 Nous faisons une randonnée en ... montagne. (haut)

6 La route est ... et ... . (long/mauvais)
7 Depuis le sommet on a une ... vue. (beau)
8 On va avoir du ... temps. (beau)
9 On va se reposer dans un ... chalet. (joli)
10 On va y manger un ... repas. (bon)

Pause grammaire 2.3 *The imperfect tense* (page 27)

A Copie et complète en mettant les verbes à l'imparfait.

1 Mes grands-parents ... à la campagne. (habiter)
2 Ils ... des vaches et des moutons. (avoir)
3 Leur maison ... construite en bois. (être)
4 Il n'y ... pas d'électricité. (avoir)
5 On ... beaucoup de pain. (manger)
6 Ma grand-mère ... le pain elle-même. (faire)
7 Mon grand-père ... dans les champs. (travailler)
8 Ils ... du vin rouge. (boire)
9 Ma grand-mère ... des heures à tricoter. (passer)
10 Elle me ... des pulls multicolores énormes. (tricoter)

B Où étaient-ils, que faisaient-ils quand Cécile a cassé le vase? Copie et complète.

1 Je n'... pas là quand Cécile a cassé le vase. (être)
2 Marc ... dans la salle de bains. (se laver)
3 Philippe et Brice ... le petit déjeuner dans la cuisine. (prendre)
4 Louise ... son chocolat dans la cuisine. (boire)
5 Les enfants ... le football dans le salon. (regarder)
6 Nous ... nos devoirs dans notre chambre. (finir)
7 Mon père ... la voiture devant la maison. (laver)
8 Vous ... votre chambre. (ranger)
9 Benjamin ... son livre dans la salle à manger. (lire)
10 Et toi? Que ...-tu quand Cécile a cassé le vase?

C Copie et complète en mettant les verbes suivants à l'imparfait.

> aimer; attendre; avoir; descendre; être; habiter; porter; raconter; rentrer

Quand ma mère ... petite, elle ... à Paris. Elle nous ... toujours sa vie dans la grande ville. Ses parents ... dans un grand appartement au cinquième étage et il n'y ... pas d'ascenseur. Le matin, elle ... les escaliers à pied pour aller à l'école. Le soir, quand elle ... de l'école, son père l'... en bas et la ... sur son dos. Il l'... très fort.

Pause grammaire 2.4 *Negation* (page 35)

A Copie et complète.

Exemple: Vas-tu au cinéma demain? Non, je *n'*y vais *pas* demain. (ne pas)

1 Tu veux manger quelque chose? Non, je ... veux ... manger. (ne plus)
2 Tu vois toujours ta grand-mère? Non, je ... la vois ... . (ne plus)
3 Tu as déjà mangé des pissenlits? Non, je ... en ai ... mangé. (ne jamais)
4 Tu manges de la viande? Non, je ... mange ... des légumes et des fruits. (ne que)
5 As-tu vu quelqu'un? Non, je ... ai vu ... . (ne personne)
6 Tu bois du Coca? Non, je ... bois ... du jus d'orange et de l'eau. (ne que)
7 As-tu déjà fait du rafting? Non, je ... en ai ... fait. (ne jamais)
8 Tu fais le ménage? Non, je suis paresseux, je ... fais ... le ménage. (ne pas)
9 As-tu déjà fait du kayak, du parapente ou du canyoning? Je ... ai fait ... du kayak. (ne que)
10 Est-ce qu'il y a quelqu'un qui aime les escargots? Non, il ... y a ... qui aime les escargots. (ne personne)

B Copie et complète avec la bonne expression négative.

Martin *n'a pas* la forme. Il … mange … des frites et des hamburgers. Il y a un an, il jouait au foot, mais il … en fait … . Il a essayé de suivre un régime mais il … le tient … . Les gens lui disent de faire du sport et de manger sainement mais il … écoute … . On … peut … faire pour lui. J'ai tout essayé mais je … y arrive … . Il … fait … . On lui a conseillé de manger des crudités mais il dit qu'il … en a … mangé et qu'il … veut … commencer maintenant. Je … peux absolument … faire!

Pause grammaire 2.5 *Personal pronouns as direct objects* (page 37)

A Album photographique: Les connais-tu? Say you do (✓) or don't (✗) know them.

Exemple: Voici ma mère. – Oui, je la connais./Non, je ne la connais pas.

1 Voici mon frère. ✗
2 Et voici mon oncle. ✓
3 Voici mes grands-parents. ✓
4 Voici ma tante Martine. ✗
5 Voici ma petite soeur. ✗
6 Et voici mes copains. ✗
7 Ça, c'est mon petit copain. ✓
8 Ça, c'est mon père. ✓
9 Ce sont mes cousins. ✗
10 Et voici mon chien. ✓

B En haut de la Tour Eiffel. Say you do (✓) or don't (✗) see the sights.

Exemple: Voyez-vous la Seine, là -bas? – Oui, je la vois./Non, je ne la vois pas.

1 Voyez-vous le musée du Louvre, là, à droite? ✗
2 Voyez-vous les Champs-Elysées, là, en face? ✓
3 Voyez-vous l'arc de Triomphe, juste devant vous? ✓
4 Regardez, là, à gauche, c'est le bois de Boulogne. ✗
5 Pouvez-vous distinguer le centre Pompidou? ✗
6 Voyez-vous la cathédrale de Notre-Dame, à droite? ✓
7 Voyez-vous le Sacré-Coeur, là-bas? ✓
8 Pouvez-vous distinguer les bâteaux-mouches sur la Seine? ✗
9 Regardez, là, c'est la grande Arche! ✓
10 Pouvez-vous distinguer votre hôtel? ✗

C Réponds aux questions en utilisant un pronom personnel.

Exemple: Comment trouves-tu mon nouveau pantalon? (pas mal)
– Je *le* trouve pas mal.

1 Comment trouves-tu ma jupe noire? (affreuse)
2 Tu mets ta chemise rose? ✓
3 Comment trouves-tu ma chemise blanche? (jolie)
4 As-tu mes chaussettes blanches? ✗
5 Comment trouves-tu les baskets rouges? (super)
6 Tu achètes ces baskets noires? ✗
7 Tu prends tes lunettes de soleil? ✓
8 Comment trouves-tu les lunettes bleues? (chic)
9 Vois-tu mes clés? Je les ai perdues! ✓
10 Tu mets la table, s'il te plaît? ✓

Pause grammaire 3.1 *Partitive articles and the pronoun **en*** *(page 41)*

A Copie et complète en utilisant les articles suivants.

du; de la; de l'; des

1 Veux-tu … pain?
2 Avez-vous … sucre?
3 Manges-tu … gâteaux?
4 Je voudrais … lait.
5 Avez-vous … salade?

6 Il mange … céréales.
7 Ils voudraient … eau minérale.
8 Elle veut … confiture de fraises.
9 Nous voulons … poulet.
10 Nous avons … argent pour en acheter.

B Qu'est-ce que tu manges et qu'est-ce que tu bois?
Réponds aux questions en utilisant **en**.

Exemple: Tu manges de la viande? – Oui, j'en mange./Non, je n'en mange pas.

1 Mangez-vous des frites? ✓
2 Prenez-vous de la salade? ✓
3 Manges-tu des endives? ✗
4 Bois-tu du jus d'orange? ✓
5 Boivent-ils du lait? ✗

6 Manges-tu des carottes? ✗
7 Prends-tu du camembert? ✓
8 Buvez-vous du lait? ✗
9 Boit-elle du vin? ✓
10 Mange-t'elle des escargots? ✗

Pause grammaire 3.2 *Personal pronouns as indirect objects* *(page 43)*

Sarah lui donne un conseil – *Sarah gives (to) him a piece of advice.*

- *Sarah* is the subject (she is giving the advice)
- *un conseil* (the advice) is the object (it is what she is giving)
- *lui* (to him/her) is the indirect object

A Copy the sentences. Underline the direct objects in blue (not all the sentences have a direct object) and the indirect objects in green. Then translate the sentences into English.

1 Le prof a mis une mauvaise note à Sandrine.
2 J'ai lu une histoire à mon petit frère.
3 J'ai demandé conseil à mon copain.
4 Didier m'a prêté son stylo.
5 Je le lui ai rendu le lendemain.

6 Je te dois dix francs pour le ticket.
7 On m'a acheté un hamburger.
8 Elodie m'a dit merci.
9 Sylvain nous a offert un cadeau.
10 J'ai donné des bonbons aux enfants.

B L'anniversaire de Jacques. Copie en remplaçant les mots soulignés par **lui**, **leur**, **nous** ou **vous**.

Exemple: Adèle a téléphoné <u>à Jacques</u>. – Adèle *lui* a téléphoné.

1 Il a dit <u>à Adèle</u> de venir à 7 heures.
2 Il a dit <u>à Pierre et à Florent</u> de venir à 8 heures.
3 Nous avons souhaité 'Bon Anniversaire' <u>à Jacques</u>.
4 Sa copine a acheté un cadeau <u>pour Jacques</u>.

5 Il a dit merci <u>à sa copine</u>.
6 J'ai fait un gâteau <u>pour Jacques et vous tous</u>.
7 Ses parents ont acheté une moto <u>pour Jacques</u>.
8 Il a dit merci <u>à ses parents</u>.
9 Ses parents ont préparé un repas splendide <u>pour moi et les autres</u>.
10 Nous avons dit merci <u>à ses parents</u>.

C Copie en remplaçant les mots soulignés par des pronoms. Attention à l'ordre des pronoms!

Order of direct and indirect pronouns			
me			
te	le	lui	en
se	la	leur	y
nous	les		
vous			

1 Il me donne <u>le crayon</u>. – Il me *le* donne.
2 Je lui rends <u>son crayon</u>.
3 Elle l'achète <u>pour son frère</u>.
4 Elles les donnent <u>à leurs frères</u>.
5 Il nous raconte <u>l'histoire</u>.
6 Nous le racontons <u>à ses parents</u>.
7 Je lui emprunte <u>sa bicyclette</u>.
8 Nous les rendons <u>à toi</u>.
9 Jacques et Céline vous offrent <u>des bonbons</u>.
10 Vous les donnez <u>à Jacques et à Céline</u>.

Pause grammaire 3.3 *Saying what is wrong with you* (page 47)

Rappel: à + le = au
à + les = aux

A Copie et complète les expressions.

1 mal ... la tête
2 mal ... jambes
3 mal ... dos
4 mal ... genoux
5 mal ... dents
6 mal ... gorge
7 mal ... coeur
8 mal ... doigts
9 mal ... oreilles
10 mal ... yeux

B **Avoir** ou **être**? Copie et complète.

1 Je *me suis* cassé la jambe.
2 J'... mal à la tête.
3 ...-tu de la fièvre?
4 Il ... la grippe.
5 Il ... coupé la main.
6 Nous ... mal aux dents.
7 Martina ... foulé la cheville.
8 Ils ... mal au coeur.
9 Mon frère et moi, nous ... la rougeole.
10 Je ... fait mal au genou.

Pause grammaire 4.1 *Colour adjectives* (page 58)

A Copie et complète avec la bonne forme de l'adjectif.

En hiver, Thierry porte une chemise (blanc), un pantalon (noir), un pull (gris) ou un sweat (bleu marine), des chaussettes (gris) et des chaussures (noir). En été, il porte un short (bicolore), un tee-shirt (bleu) et des sandales (marron). Il ne porte pas de chaussettes. Quand il joue au tennis, il porte un polo (blanc), un short également (blanc), des chaussettes (blanc) ou (bleu marine) et des tennis (blanc).

B Copie et complète avec la bonne forme de l'adjectif.

En hiver, quand elle sort, Cathy porte une petite robe (noir), des collants (noir), des chaussures (noir) et des boucles d'oreilles en or. En été, elle porte une robe (rouge) ou (blanc) et des sandales également (rouge) ou (blanc). Quand elle fait du surf des neiges, elle porte un pantalon (bleu), un sweat (mauve), un anorak (rose) et une casquette (noir). Quand elle va à la plage, elle porte un tee-shirt (jaune) ou (bleu pâle) et un short (blanc).

Pause grammaire 4.2 *How to translate 'which?'* (page 59)

Copie et complète en utilisant les mots suivants.

quel; quelle; quels; quelles

1 ... pantalon préfères-tu?
2 Elle porte ... robe?
3 ... chaussures préférez-vous?
4 ... jean préfères-tu?
5 Vous achetez ... tennis?
6 ... chemise choisirais-tu?
7 Vous achetez ... magazines?
8 ... est la date de ton anniversaire?

9 ... est ton plat préféré?
10 ... est ta boisson préférée?
11 ... heure est-il?
12 ... temps fait-il?
13 Tu arrives à ... heure?
14 Vous partez ... jour?
15 Vous prenez ... train?

Pause grammaire 4.3 *The conditional* (page 65)

A Copie et complète en mettant les verbes au conditionnel.

1 Quel job *préférerais*-tu? (préférer)
   Je *préférerais* travailler avec des enfants.
2 ...-tu gagner de l'argent? (vouloir)
   Oui, je ... gagner de l'argent.
3 ...-tu t'occuper des animaux? (aimer)
   Non, je n'... pas travailler avec les animaux.
4 ...-tu capable de travailler dans une boutique? (être)
   Oui, je ... capable de travailler dans une boutique.
5 ...-tu la patience de donner des cours aux plus jeunes? (avoir)
   Non, je n'... pas la patience de donner des cours.

6 ...-tu travailler en plein air? (pouvoir)
   Oui, je ... travailler en plein air.
7 ...-tu des escargots? (manger)
   Non, je n'en ... pas.
8 ...-tu du lait de noix de coco? (boire)
   Oui, j'en ... .
9 ...-tu aux Etats-Unis? (aller)
   Non, je n'... jamais là-bas.
10 ...-tu du parapente si tu pouvais? (faire)
   Oui, j'en... sûrement.

B Copie et complète en mettant les verbes au conditionnel.

1 Qui ... aller au cinéma? (vouloir)
2 Nous ... du Coca, s'il y en avait. (boire)
3 ...-il du piano pour nous? (jouer)
4 Ils n'y ... rien. (comprendre)
5 ...-vous capable de grimper jusqu'au sommet? (être)
6 On ... prendre le téléphérique. (pouvoir)
7 Ils n'... pas de problèmes pour la descente. (avoir)
8 Nous ... en bas. (rester)
9 ...-vous faire l'ascension? (vouloir)
10 Je n'... pas le temps. (avoir)

C Copie et complète en mettant les verbes au conditionnel.

Si je gagnais au Loto, j'(acheter) une maison à la campagne. La maison (avoir) un grand jardin avec une piscine chauffée. Je (faire) de la natation chaque matin. Puis j'(aller) au marché pour faire mes achats. En rentrant, je (préparer) un grand repas et j'(inviter) tous mes amis. Nous (pouvoir) nager ou jouer au volley avant de manger, et après le repas on (se reposer) ou on (regarder) des films dans ma salle-cinéma.

Pause grammaire 5.1 *The comparative and superlative* (page 77)

Fais des phrases en utilisant l'adjectif en parenthèses.

Exemple: Jean/Barbara/Nicolas (grand)
Jean est *moins grand que* Barbara, Barbara est *plus grande que* Jean et Nicolas est *le plus grand*.

1 Marc/Simone/Elodie (petit)
2 Nathalie/Charlotte/Grégory (intelligent)
3 le cochon d'Inde/le chat/le chien (gros)
4 M. Leblanc/Mme Brunot/M. Lescaux (vieux)
5 Sylvie/Henri/Constance (ennuyeux)
6 Notre-Dame/la tour Eiffel/le mont Blanc (haut)
7 Daniella/Michèle/Gwenaëlle (bavard)
8 François/Boris/Charlotte (sportif)
9 La ville de Calais/Marseille/Paris (grand)
10 la voiture/le train/l'avion (rapide)

Pause grammaire 5.2 *The future tense* (page 79)

A Pendant les vacances. Copie et complète en mettant les verbes au futur.

1 Je ... dans la mer. (nager)
2 Je ... au soleil. (se reposer)
3 Nous ... des glaces. (manger)
4 Nous ... des souvenirs. (acheter)
5 On ... espagnol. (parler)
6 Mon copain ... sous la tente. (dormir)
7 Nous ... dans un hôtel. (rester)
8 Je ... au tennis. (jouer)
9 Que ...-vous? (faire)
10 Mes parents ... les monuments. (visiter)

B Copie et complète en mettant les verbes au futur.

1 L'année prochaine nous (aller) en Bretagne. Nous (louer) un petit bateau et nous (faire) du ski nautique. Nous (aller) à la pêche et nous (manger) les poissons que nous (attraper).
2 Pendant les grandes vacances, j'(aller) dans les Alpes avec mes parents. On (se lever) tôt et on (faire) de la montagne jusqu'à midi. Puis on (se reposer). S'il fait beau, les vues (être) magnifiques.
3 On (aller) sur la Côte d'Azur comme toujours. On (dormir) dans une caravane et on (manger) dehors. Je (nager) et je (se reposer), et je (se faire) beaucoup de nouveaux amis!

4 L'année prochaine nous (aller) dans la vallée de la Loire. Mes parents (visiter) les châteaux mais je (rester) au camping et je (s'amuser) avec mes copains. On (faire) des balades à vélo, on (plonger) dans la rivière et on (jouer) au tennis et au foot. On (draguer) aussi!

5 Moi? J'(aller) en Angleterre. Je (rendre) visite à mon corres. Je (parler) anglais. Je (manger) du bacon avec des oeufs et je (boire) du thé au lait. Beurk!

C Ecris ton horoscope.

1 On te ... de l'argent. (donner)
2 Tu ... quelque chose que tu as perdu. (retrouver)
3 Tu ... un nouvel ami/une nouvelle amie. (se faire)
4 Tu ... une lettre. (recevoir)

5 Quelqu'un t'... un poème. (écrire)
6 Une copine t'... un cadeau. (acheter)
7 Tes amis t'... à résoudre un problème. (aider)
8 Tu ... un bouton sur le nez. (avoir)
9 Tu ... quelque chose de nouveau. (voir)
10 Tu ... au cinéma. (aller)

Pause grammaire 5.3 *Stressed personal pronouns* (page 85)

A Copie et complète avec le bon pronom.

1 C'est (Julien)!
2 Qui a dit ça? (vous)?
3 Non, ce n'est pas (Julien), c'est (Charlotte).
4 Voulez-vous venir avec (nous)?
5 C'est (tu) qui n'as pas fini!

6 Il est parti avec (Séverine et Danièle).
7 Delphine est partie avec (Laurent et Pascal).
8 Voici mes copains. Je vais au cinéma avec ... .
9 Isabelle est plus grande que Patrice mais il est plus gros qu'... .
10 Tu n'as pas encore fini? Dépêche-...!

B Copie et complète avec le bon pronom.

1 Hervé, as-tu vu mon stylo?
  – Qui, ...? Non.
2 Qui aime habiter à la campagne? ..., Gilles?
3 C'est Louise qui l'a dit. C'est ...!
4 Ce n'est pas Jérôme, ce n'est pas ...!
5 Nous n'avons rien fait mais il dit que c'est ... .

6 C'est ... qui l'avez fait!
7 Ce sont ... qui arrivent toujours en retard.
8 J'habite rue du Château. Je vous invite à venir chez ... .
9 Martin habite rue d'Avignon. C'est trop loin pour aller chez ... .
10 Sarah et Cathy sont arrivées en retard mais Paul est arrivé après ... .

Pause grammaire 5.4 *Relative and demonstrative pronouns* (page 91)

A Copie et complète en utilisant les pronoms suivants.

lequel; laquelle; lesquels; lesquelles
celui-ci; celui-là; celle-ci; celle-là; ceux-ci; ceux-là; celles-ci; celles-là

Exemple: Voici deux jeans. *Lequel* préfères-tu? *Celui-ci* ou *celui-là*?

1 Voici deux paires de tennis. ... préfères-tu? ... ou ...?
2 J'ai deux sacs. ... préfères-tu? ... ou ...?
3 J'ai deux glaces dans le frigo. ... veux-tu? ... ou ...?
4 Je vous propose deux salades. ... voulez-vous? ... ou ...?
5 Voici des chocolats. ... préfères-tu? ... ou ...?
6 On peut voir un policier ou un film d'aventure. ... préfères-tu? ... ou ...?
7 Il y a deux robes bleues. ... préfères-tu? ... ou ...?
8 Il y a deux hôtels. ... préférez-vous? ... ou ...?
9 Il y a deux trains pour y aller. ... prenez-vous? ... ou ...?
10 Regarde les chaussures! ... préfères-tu? ... ou ...?

B Copie et complète en utilisant les pronoms suivants.

| celui; celle; ceux; celles |

1 Avez-vous vu mon pull? – Lequel? – ... que j'ai acheté hier.
2 Tom a retrouvé ses chaussures. – Lesquelles? – ... qu'il a perdues au collège.
3 Quel train prenez-vous? – ... qui arrive à midi.
4 Quels livres avez-vu lus? – ... qui sont sur la table.
5 J'ai oublié mon ticket. – Lequel? – ... dont j'ai besoin pour entrer dans le musée.
6 Nous avons choisi une nouvelle voiture. – Laquelle? – ... que tu as vue dans la brochure.
7 Quelles tartes préférez-vous? – ... qui n'ont pas de crème pâtissière.
8 Quel appartement ont-ils acheté? – ... qui est en face de la gare.
9 Quel petit chien préfères-tu? – ... qui a le nez rose.
10 Quels élèves doivent rester? – ... qui n'ont pas fini leurs devoirs.

Pause grammaire 6.1 *The past tenses* (page 98)

> - You use the imperfect tense for a repeated or interrupted action in the past.
> - You use the perfect tense for a single action in the past.

A Which tense are the underlined verbs in?

J'(1) ai vu un accident.

Il (2) faisait beau. J'(3) étais dans le jardin devant la maison. Je (4) lisais des magazines et j'(4) écoutais de la musique sur mon baladeur. Le petit voisin (5) jouait avec un ballon de foot dans la rue. C'(6) était une rue piétonne. Il y (7) avait aussi deux grands qui (8) faisaient du rollerblade. Ils (9) avaient une sorte de rampe pour sauter. Un grand (10) a sauté et le petit voisin (11) a lancé son ballon de foot vers lui au même moment. Celui qui (12) sautait (13) a perdu l'équilibre et il (14) est tombé. Il ne (15) pouvait plus bouger. Il (16) avait mal à la jambe.

Je (17) suis rentrée dans la maison en courant et (18) j'ai appelé ma mère. Elle m'(19) a dit d'appeler une ambulance. J'(20) ai téléphoné et ma mère (21) a trouvé une couverture, mais elle ne (22) voulait pas bouger le garçon. L'ambulance (23) est bientôt arrivée et on l'(24) a emmené à l'hôpital. La police (25) est arrivée peu après et je leur (26) ai raconté tout ce qui (27) s'est passé.

B Translate the text in A.

C Now tell your French penfriend about this accident which you have seen.

The little boy next door was playing in the street with his bicycle. Two big boys were playing football in the street. One of them kicked the ball at the little boy, who fell off his bike. He hurt his arm and he had to go to hospital.

Grammaire

Table des matières

1 Les verbes (Verbs)

1.1   L'infinitif et le radical
(The infinitive and the stem)
1.2   Les temps (The tenses)
1.3   *Avoir* et *être*
1.4   Le présent (Present)
1.5   Le passé composé (Perfect)
1.6   Le passé composé avec *avoir*
1.7   Le passé composé avec *être*
1.8   Les verbes réfléchis (Reflexive verbs)
1.9   L'imparfait (Imperfect)
1.10 Le futur (Future)
1.11 Le futur proche (Near future)
1.12 *Venir de* + Infinitif
1.13 *Après avoir* + Participe passé
1.14 Le présent + *depuis*
1.15 Le conditionnel (Conditional)
1.16 L'impératif (Imperative)
1.17 La négation (Forming the negative)
1.18 On pose des questions
(Asking questions)

2 Les substantifs (Nouns)

2.1   Le genre (Gender)
2.2   Les pluriels (Plurals)
2.3   La possession (Possession)
2.4   Les compléments directs et indirects
(Direct and indirect objects)
2.5   L'article défini (Definite article)
2.6   L'article indéfini (Indefinite article)
2.7   *Ne ... pas de*
2.8   *Du, de la, des*

3 Les pronoms (Pronouns)

3.1   Le genre (Gender)
3.2   *Tu, vous*
3.3   Les compléments directs et indirects
(Direct and indirect objects)
3.4   La position (Position)
3.5   Plus d'un pronom (More than one
pronoun)
3.6   *Y et en*

3.7   *Moi, toi* etc.
3.8   Les pronoms relatifs – *qui* et *que*
(Relative pronouns)
3.9   *Dont*
3.10 Les pronoms relatifs suivant une
préposition (Relative pronouns
following a preposition)
3.11 Les pronoms interrogatifs
(Interrogative pronouns)
3.12 Les pronoms démonstratifs
(Demonstrative pronouns)

4 Les adjectifs (Adjectives)

4.1   L'accord (Agreement)
4.2   La position (Position)
4.3   Les comparatifs et les superlatifs
(Comparatives and superlatives)
4.4   Les adjectifs démonstratifs
(Demonstrative adjectives)
4.5   Les adjectifs possessifs
(Possessive adjectives)

5 Les adverbes (Adverbs)

5.1   La formation (Formation)
5.2   Les comparatifs et les superlatifs
(Comparatives and superlatives)

6 Les prépositions (Prepositions)

6.1   Les prépositions principales (Main
prepositions)
6.2   Verbe + Préposition + Infinitif (Verb +
Preposition + Infinitive)

7 Les quantités (Quantities)

8 Les nombres (Numbers)

9 Le calendrier (The calendar)

10 L'heure (The time)

1   Les Verbes (Verbs)

1.1   L'infinitif et le radical (The infinitive and the stem)

Verbs are words which show an action. They are something you can do e.g. to run, to think, to sit, to eat, to buy.

There are three main types of regular verb in French.

Those that end in	-er	e.g. jouer
	-ir	e.g. finir
	-re	e.g. répondre

If you take the ending off, the rest of the verb is called the stem: *jou-*, *fin-*, *répond-*. This is used in making other forms of the verb.

1.2   Les temps (The tenses)

Tenses tell us when something happens – in the past, present or future. These are the main tenses you will need:

Past: Passé composé
Imparfait

Present: Présent

Future: Futur
Futur proche

PAST

Passé composé (Perfect)

J'ai fait	I did/have done
Je suis allé(e)	I went/I have gone

tells us about something which has happened or happened once in the past, i.e. a completed action

Imparfait (Imperfect)

Je faisais	I was doing/I used to do
Je jouais	I was playing/I used to play

tells us about something which used to happen, happened for a long time or was happening, i.e. a regular, long term or interrupted action

PRESENT

Présent (Present)

Je fais	I do/I am doing
Je joue	I play/I am playing

tells us about something that is happening now or usually happens (there are two forms in English but only one in French)

FUTURE

Futur (Future)

Je ferai	I will do
J'irai	I will go

tells us about something that will happen in the future

Futur proche (Near future)

Je vais faire	I'm going to do
Je vais aller	I'm going to go

tells us about something that will happen in the near future

For more information on the use and formation of the tenses see sections **1.4** to **1.11**. For more information on irregular verbs see the tables on pages 142–47.

1.3   *Avoir* et *être*

The most used verbs are *avoir* – to have and *être* – to be. They are important as they are also used in the formation of some of the other tenses.

AVOIR

Présent

singulier

j'ai	I have
tu as	you have
il/elle a	he/she/it has

pluriel

nous avons	we have
vous avez	you have
ils/elles ont	they have

Passé composé

singulier

j'ai eu	I had
tu as eu	you had
il/elle a eu	he/she had

pluriel

nous avons eu	we had
vous avez eu	you had
ils/elles ont eu	they had

Imparfait: j'avais   **Futur**: j'aurai

ETRE

Présent

singulier

je suis	I am
tu es	you are
il/elle est	he/she/it is

pluriel

nous sommes	we are
vous êtes	you are
ils/elles sont	they are

Passé composé

singulier

j'ai été	I was
tu as été	you were
il/elle a été	he/she was

pluriel

nous avons été	we were
vous avez été	you were
ils/elles ont été	they were

Imparfait: j'étais   **Futur**: je serai

For more information on *être* and *avoir* see the verb tables on pages 143 and 145.

1.4 Le présent (Present)

To form the present take the stem of the infinitive and add the endings. There are three main groups:

-er verbs

singulier

je donne	I give/am giving
tu donnes	you give/are giving
il/elle donne	he/she/it gives/is giving

pluriel

nous donnons	we give/are giving
vous donnez	you give/are giving
ils/elles donnent	they give/are giving

-ir verbs

singulier	*pluriel*
je finis	nous finissons
tu finis	vous finissez
il/elle finit	ils/elles finissent

-re verbs

singulier	*pluriel*
je réponds	nous répondons
tu réponds	vous répondez
il/elle répond	ils/elles répondent

For the present tense of irregular verbs see the tables on pages 142–47.

1.5 Le passé composé (Perfect)

The *passé composé* is formed with the present tense of an auxiliary verb (*avoir* or *être*) and the past participle. To make the past participle of regular verbs, take off the ending to find the stem of the verb and add the appropriate ending:

-**er** verbs: stem + **é** e.g. jouer ⇨ joué
-**ir** verbs: stem + **i** e.g. finir ⇨ fini
-**re** verbs: stem + **u** e.g. répondre ⇨ répondu

For the perfect tense of irregular verbs see the tables on pages 143–47.

1.6 Le passé composé avec *avoir*

Most verbs form the *passé composé* with *avoir* e.g.

jouer – to play

singulier

j'ai joué	I (have) played
tu as joué	you (have) played
il/elle a joué	he/she (has) played

pluriel

nous avons joué	we (have) played
vous avez joué	you (have) played
ils/elles ont joué	they (have) played

〰 The past participle must agree with the direct object if it precedes the verb.

J'ai perdu ma trousse.
Je l'ai perdue.
La trousse que j'ai perdue est rouge.

1.7 Le passé composé avec *être*

Verbs which take *être*:

a) aller – venir   naître – mourir
   arrivée – partir   rester – tomber
   entrer – sortir   retourner
   monter – descendre

b) verbs made up of those above e.g.
   revenir, devenir, rentrer, repartir

c) all reflexive verbs

aller – to go

singulier

je suis allé(e)	I went/have gone
tu es allé(e)	you went/have gone
il/elle est allé(e)	he/she/it went/has gone

pluriel

nous sommes allé(e)s	we went/have gone
vous êtes allé(e)(s)	you went/have gone
ils/elles sont allé(e)s	they went/have gone

If a verb takes *être* the past participle has to agree with the subject i.e. the person or thing doing the action.

If the subject is feminine add an 'e'
   Marie est allée au cinéma.

If the subject is plural add an 's'
   Pierre et Paul sont allés au cinéma.

If the subject is both feminine and plural add 'es'
   Marie et Anne sont allées au cinéma.

1.8 Les verbes réfléchis (**Reflexive verbs**)

se laver – to wash (oneself)

Présent

singulier

je me lave	I wash/am washing myself
tu te laves	you wash/are washing yourself
il/elle se lave	he/she washes/is washing himself/herself

pluriel

nous nous lavons	we wash/are washing ourselves
vous vous lavez	you wash/are washing yourself/ves
ils/elles se lavent	they wash/are washing themselves

Passé composé

je me suis lavé(e)	(I washed/have washed myself)

tu t'es lavé(e)
il/elle s'est lavé(e)
nous nous sommes lavé(e)s
vous vous êtes lavé(e)(s)
ils/elles se sont lavé(e)s

If a verb takes *être* the past participle has to agree with the subject.

If the subject is feminine add an 'e'
If the subject is plural add an 's'
If the subject is both feminine and plural add 'es'

1.9 L'imparfait (**Imperfect**)

To form the imperfect take the *nous* form of the verb in the present tense, cross off the -*ons* and add the endings.

	nous form	– ons	+ ais
jouer	jouons	jou-	je jouais
faire	faisons	fais-	je faisais
voir	voyons	voy-	je voyais

The endings are:

singulier		*pluriel*	
je	-ais	nous	-ions
tu	-ais	vous	-iez
il/elle	-ait	ils/elles	-aient

There is one verb which does not follow the above pattern – *être*. With *être* the endings are added to *ét-*.

J'étais	Nous étions
Tu étais	Vous étiez
Il était	Ils étaient

1.10 Le futur (Future)

The future tense is formed by adding the endings to the infinitive. If the infinitive ends in 'e' take off the 'e' first.

	-er	-ir	-re
je	donner**ai**	finir**ai**	répondr**ai**
tu	donner**as**	finir**as**	répondr**as**
il/elle/on	donner**a**	finir**a**	répondr**a**
nous	donner**ons**	finir**ons**	répondr**ons**
vous	donner**ez**	finir**ez**	répondr**ez**
ils/elles	donner**ont**	finir**ont**	répondr**ont**

See the tables on pages 142–47 for the formation of the future for irregular verbs.

〰️ The *futur* in *quand* clauses:

Elle **viendra** quand elle **sera** prête.
(Literally: She will come when she will be ready.)

1.11 Le futur proche (Near future)

This is formed with the present tense of *aller* plus the infinitive.

Je vais faire mes devoirs.
Ils vont manger au restaurant.

1.12 *Venir de* + Infinitif

In English we say that we have **just done** something, when we have only just finished. The French say they 'are coming from doing' it and use the infinitive after *venir de* e.g.

Je **viens de** revoir Manon des Sources à la télé.
I've just seen Manon des Sources again on TV.

Note also:

je **venais de** voir... – I **had just** seen...

1.13 *Après avoir* + Participe passé

In English we say that **after doing** something, we did something else. The French equivalent of this is *après avoir* (or *être*) plus the past participle e.g.

Après avoir payé, j'ai quitté le café.
After paying, I left the café.
Après être rentré chez moi, j'ai dîné.
After getting home, I had supper.

1.14 Présent + *depuis*

In English we say that we **have been doing** something **for** some time (and we still are doing it). French focuses more strongly on the 'still are' part of the situation, and so it uses the present tense plus *depuis* (since).

J'**apprends** le français **depuis** quatre ans.
I've been learning French for four years.
(Translating literally, 'I **am learning** French **since** four years.')

1.15 Le conditionnel (Conditional)

The conditional is used to say what **would** happen.

Si j'avais assez d'argent, j'**irais** en Australie.
If I had enough money, I'd go to Australia.

Note its use for politeness:

Pourriez-vous ouvrir la fenêtre?
Could you open the window?
Je **voudrais** un kilo de pommes.
I'd like a kilo of apples.

The endings are added to the infinitive e.g.

je donner**ais**	vous donner**iez**
tu donner**ais**	nous donner**ions**
il/elle/on donner**ait**	ils/elles donner**aient**

If the infinitive ends in an 'e' omit the 'e'.

Finally, the conditional tense is used in reported speech just as it would be in English:

'J'**irais** la voir.'
'I **shall** go to see her.'
Il a dit qu'il **irait** la voir.
He said he **would** go to see her.

1.16 L'impératif (Imperative)

The *impératif* is used to tell people what to do. To form it, start with the *tu* and *vous* forms of the present tense.

To tell more than one person (or someone you don't know well) what to do, use the *vous* form unchanged:

Ecoutez et répondez à ces questions.
Listen and answer these questions.

The *tu* form (used for people you know well) also remains the same for most verbs:

Finis tes devoirs! Finish your homework!
Réponds à la question! Answer the question!

However, with *-er* verbs, the final 's' is dropped:

Ecoute! Listen!
Ferme la porte! Close the door!

Note also these exceptions:

avoir	aie	ayez
être	sois	soyez

Reflexive verbs: With these you need to use a reflexive pronoun e.g.

Levez-**vous**!   Lève-**toi**!
Taisez-**vous**!   Tais-**toi**!

Note that *te* becomes *toi* and *me* becomes *moi* in the imperative.

1.17 La négation (Forming the negative)

ne ... pas = not
Il pleut. ⇨ Il **ne** pleut **pas**.

Before a vowel the *ne* is shortened to *n'*, e.g.
Je **n'**aime **pas** les légumes. ⇨ Je **n'**en ai **pas**.

Where there are object pronouns before the verb, *ne* goes in front of all of them, e.g.
Il **ne** vous le donnera **pas**.

In the *passé composé* the *ne* and *pas* go either side of *avoir* (or *être*), e.g.
J'ai mis ma clé dans ma poche.
⇨ Je **n'**ai **pas** mis ma clé dans ma poche.

Ne and *pas* are placed together before an infinitive (and also before any pronouns which go with that infinitive), e.g.
Il a décidé de **ne pas** l'acheter.

ne ... plus	no more, no longer
ne ... rien	nothing, not anything
ne ... jamais	never, not ever
ne ... personne	no one, not anyone
ne ... nulle part	nowhere, not anywhere
ne ... ni ... ni	neither ... nor
ne ... que	not ... except, only
ne ... aucun	not a ... , no ...

The first three work exactly like *ne ... pas*, but when the others are used with the *passé composé* they go **after** the past participle, e.g.

Il **n'**a trouvé **personne** dans la maison.
Je **ne** l'ai vu **nulle part**.

1.18 On pose des questions (Asking questions)

Word order

There are three main ways of asking a question expecting a yes/no answer:

a) Using intonation only
As in English you can ask a question by making a statement, and then raising your voice at the end, e.g.
Tu as fini? Marie est arrivée?
This is quite common in spoken French.

b) Putting the subject after the verb
With pronoun subjects, you simply put the verb first, and place a hyphen between verb and subject, e.g.
Tu finis. ⇨ Finis-tu?
Tu as fini. ⇨ As-tu fini?

A *t* is placed between two vowels to make pronunciation easier, e.g.
A-t-elle commencé?   Va-t-on?   Viendra-t-il?

If the subject is a noun, you have to use a pronoun **as well**, e.g.
Marie est-**elle** arrivée?

c) Using *Est-ce que ...*
You can place *Est-ce que ...* before the statement, e.g.
Est-ce que Marie est arrivée?

Question words

In English, these are words like 'who?', 'what?', 'which?', 'where?', 'why?' and 'how?' They are often called **interrogative** words. There are interrogative pronouns (e.g. '**Who** is coming?'); interrogative adjectives (e.g. '**Which** apple do you want?'); and interrogative adverbs (e.g. '**Where** is it?') French has similar words.

Les pronoms interrogatifs

qui? who(m)?
que? (or qu'?) what?
lequel/laquelle/lesquels/lesquelles? which
  one(s)?

Where *qui* or *lequel* etc. is the subject of the
sentence you can use the normal statement
order and intonation.
Qui a fait ça?
Lequel est le meilleur?

Where *qui*, *que* or *lequel* etc. is the object you
can ask questions by putting the object
before and the subject after the verb.
Qui a-t-il vu là?
Que veux-tu?
Laquelle veux-tu?

Or you can use *est-ce que*:
Qui est-ce que nous allons voir?
Qu'est-ce qu'il veut?
Laquelle des émissions est-ce que tu préfères?

Les adjectifs interrogatifs

quel/quelle/quels/quelles? which?

If the noun following *quel* etc. is the subject
use the normal statement order and
intonation.
Quelle couleur est la plus belle?

If it is the object you can put the object
before and the subject after the verb.
Quelle couleur préfère-t-elle?

Or you can use *est-ce que*.
Quelle couleur est-ce qu'elle préfère?

Les adverbes interrogatifs

où? where?
quand? when?
comment? how?
pourquoi? why?

You can use the ordinary statement form
with rising intonation.
Elle y va quand?

You can put the subject after the verb.
Quand va-t-elle y aller?

You can use *est-ce que*.
Quand est-ce qu'elle va y aller?

2 Les substantifs (Nouns)

2.1 Le genre (Gender)

In French all nouns have a gender: they are
either masculine or feminine. With people,
the gender is normally what you would
expect, e.g.

un père   une mère   un frère   une soeur

However, with other nouns there are no
easy rules to work out gender. For example:

Masculine		Feminine
un bateau	but	une auto
le Japon	but	la France

Some nouns relating to people have both
masculine and feminine forms, e.g.
un ami/une amie   un acteur/une actrice

Here are some common pairs of endings:

-ant/-ante   -er/-ère   -e/-esse
-é/-ée   -en/-enne   -eur/-euse

2.2 Pluriels (Plurals)

Most nouns form the plural by adding *s*
porte ⇨ portes   enfant ⇨ enfants

Nouns ending in *-eu* or *-eau* add *x*
bateau ⇨ bateaux   neveu ⇨ neveux

Nouns ending in *-al* change to *-aux*
cheval ⇨ chevaux

Nouns ending in *-s*, *-x* or *-z* don't change
bois ⇨ bois   prix ⇨ prix   nez ⇨ nez

Nouns ending in *-ou* usually add *s*
trou ⇨ trous

but note exceptions adding *x*:
bijou ⇨ bijoux
caillou ⇨ cailloux
chou ⇨ choux
genou ⇨ genoux

Note also the following plurals:
oeil ⇨ yeux   travail ⇨ travaux
monsieur ⇨ **mess**ieurs (and **mes**dames,
  mesdemoiselles)
grand-père ⇨ grands-pères (and grands*-
  mères)

* NB Not grandes

2.3 La possession (Possession)

There is no French equivalent of the apostrophe *s* which shows possession in English. You have to use *de* (= of) in all cases, e.g.

la soeur de mon ami	my friend's sister
la mère de Claudette	Claudette's mother

2.4 Les compléments directs et indirects (Direct and indirect objects)

In English we can say: The teacher gave John a book.

We mean: The teacher gave **a book** to John.

'A book' is the direct object as it is the thing being given. 'John' is the indirect object as it is being given **to** him.

In French you always put the direct object first.

Le prof donne **un livre** à John.
Il a donné un livre à John.

2.5 L'article défini (Definite article)

Singular

	Masculine	Feminine
the	le or l'	la or l'
(to the)	(au or à l')	(à la or à l')
(of the)	(du or de l')	(de la or de l')

Plural

	Masculine	Feminine
the	les	les
(to the)	(aux)	(aux)
(of the)	(des)	(des)

Note: French uses the definite article in a few situations where English does not:

- For languages, countries, and geographical areas and other features, e.g.
  le français   **l'**Angleterre   **la** Bretagne

- In talking about the price of a quantity, e.g.
  onze francs **le** kilo (compare English: **a** kilo)

- In making generalisations about something, e.g.
  J'aime **les** glaces. (English: I like ice-creams.)

- In talking about parts of the body, e.g.
  Il a les yeux marron.
  (English: He has brown eyes.)
  Elle s'est cassé la jambe.
  (English: She broke her leg.)

2.6 L'article indéfini (Indefinite article)

Singular

	Masculine	Feminine
French	un	une
English	a/an	a/an

Plural

	Masculine	Feminine
French	des	des
English	some (or 'any' in questions)	

With adjectives that are placed before the noun, *de* is used rather than *des*, e.g.
Ils ont fait **de** graves erreurs.
They have made some big mistakes.

Note: In the sentence above, we might have left out the 'some' altogether. In French, however, an indefinite article **must** be included. Here is another example:
J'ai acheté des pommes et des poires.
I've bought (some) apples and (some) pears.

On the other hand, English uses the indefinite article in one or two places where French does not:

- In talking about jobs, e.g.
  Ma mère est médecin.
  My mother is **a** doctor.

- In expressions like 'What **a** pity!' French just uses *quel(le)*:
  Quel dommage!

2.7 Ne ... pas de

After a **negative**, where English uses 'any', French uses just *de* (or *d'*), e.g.
Nous n'avons plus **d'**oeufs.
We haven't **any** eggs left.

2.8 Du, de la, des

Some things cannot be counted (e.g. butter, water, sugar). The words for them therefore have no plurals. The partitive article is used before such nouns in French; you use *du*, *de l'* and *de la*, e.g.

Voici du beurre, du pain et de la confiture.

Here is (some) butter, (some) bread and (some) jam.

You use *de* alone after most negatives:

Je n'ai pas **de** papier. I haven't **any** paper.

3 Les pronoms (Pronouns)

3.1 Le genre (Gender)

A pronoun is a word which stands in for a noun.

John est grand.	**Il** est grand.
Anne est grande.	**Elle** est grande.
Le livre est bleu.	**Il** est bleu.
Ma voiture est rouge.	**Elle** est rouge.

All nouns in French are masculine or feminine, so all pronouns are also masculine or feminine.

3.2 Tu, vous

Vous is used when you are talking to more than one person or you are talking to someone of higher status, or whom you don't know very well.

Tu is used when you are talking to an equal – someone you do know well (including animals!)

3.3 Les compléments directs et indirects (Direct and indirect objects)

Subject	Direct object	Indirect object
je (j')	me (m')	me (m')
tu	te (t')	te (t')
il	le (l')	lui
elle	la (l')	lui
on	se (s')	se (s')
nous	nous	nous
vous	vous	vous
ils	les	leur
elles	les	leur

Indirect object pronouns replace 'à + noun'. They mean 'to me', 'to them', and so on.

Je **lui** ai donné un cadeau.

I gave him a present.

Remember that some French verbs must be followed by *à*, when the equivalent verb in English takes a direct object. So you must say, e.g.

Il **lui** a demandé ... He asked him (or her) ...

Also: répondre, téléphoner, ressembler

3.4 La position (Position)

Object pronouns usually go **before the verb**, e.g.

Je prépare une omelette – puis je **la** mange!

I make an omelette – then I eat it!

Pierre? Je ne **l'**ai pas vu aujourd'hui.

Pierre? I haven't seen him today.

But note: With the near future (*futur proche*):

Je vais **le** voir demain.

I'm going to see him tomorrow.

With the imperative:

Ecoutez-**moi** bien!

Listen to me carefully!

Voici un nouveau cahier. Donne-**le** à Marie.

Here is a new exercise book. Give it to Marie.

With the negative imperative:

Ne **les** touche pas!   Ne **me** quittez pas!

Don't touch them!   Don't leave me!

3.5 Plus d'un pronom (More than one pronoun)

Object pronouns must follow a fixed order. When they are in front of the verb, the indirect object goes before the direct object, except that *lui* and *leur* are exceptions and follow the direct object. The order is:

❶ before	❷ before	❸ before	❹
me te	le/la	lui	y
nous vous	les	leur	en

For example:

Il **me l'**a donné.

Je **le lui** ai envoyé.

Je **lui en** ai parlé.

But in positive commands and requests, where the pronouns follow the imperative, the rule is different. Direct object pronouns **always** go before indirect object pronouns.

Dites-**le-moi**!   Envoyez-**la-leur** vite!

3.6 *Y* et *en*

Y

Y replaces *à* + place. Its position is before the verb, except with a command. In English its equivalent is often 'there' (i.e. a place which has already been mentioned).

Tu vas souvent au cinéma?
Oui, j'**y** vais une fois par semaine.
Non, je n'**y** vais jamais.

Y is also found in some 'set' phrases such as '*Il y a ...*'

En

En replaces a word or phrase beginning with *du/de la/de l'/des*. Its position is before the verb (except in a command). In English its meaning is 'some, any, of it/them'.

Tu manges souvent des frites?
Oui, j'**en** mange assez souvent.

Note that you can add a precise number or quantity after the verb:

Tu as des animaux à la maison?
Oui, j'**en** ai deux – un chat et un hamster.
Non, je n'**en** ai pas.

En also forms part of some common 'set' phrases: J'en ai marre – I'm fed up with it.

Y and *en* always come after all other object pronouns (see page 134).

3.7 *Moi, toi* etc.

When pronouns are used on their own, some persons have special forms:

moi (je) toi (tu) lui (il) soi (on) eux (ils)
Qui est là? – **Moi**.   Who's there? – Me.

These forms are also used after prepositions:
chez **eux**   après **toi**   pour **moi**

You can also use these special forms to emphasise an ordinary subject pronoun, e.g.
Moi, je ne le crois pas.   **I** don't think so.

3.8 Les pronoms relatifs – *qui* et *que* (Relative pronouns)

The relative pronouns *qui* and *que* mean 'who' (or 'whom', in the case of *que*), 'which' or 'that'.

Qui is used as the **subject** of the clause which follows, e.g.

L'homme **qui** entre s'appelle M. Dutoit.
The man **who** is coming in is called M. Dutoit.
(*qui* is the subject of *entre*.)

Voici le livre **qui** est si intéressant.
This is the book **which** is so interesting.
(*qui* is the subject of *est*.)

Que is used as the object of the clause which follows, e.g.

Le tableau **que** vous voyez là est de Degas.
The painting (**which**) you see there is by Degas.

L'homme **que** je cherchais était parti.
The man (**whom**) I was looking for had left.

3.9 *Dont*

Dont means 'of which', 'of whom', or 'whose', e.g.

Le livre **dont** je parle ...
The book **of which** I speak ...

La fille **dont** la mère vient d'arriver ...
The girl **whose** mother has just arrived ...

Note also:
La chose **dont** je me souviens ...
The thing (**which**) I remember ...

3.10 Les pronoms relatifs suivant une préposition (Relative pronouns following a preposition)

For people, you can use *qui*, e.g.
L'homme à **qui** elle a parlé ...

For things, you need to use *lequel, laquelle, lesquels* or *lesquelles*. Note that the form chosen must agree with the related noun:
La rue dans **laquelle** je me suis trouvé ...

Note: à + lequel ⟶ auquel
          de + lesquelles ⟶ desquelles etc.

3.11 Les pronoms interrogatifs (Interrogative pronouns)

See section **1.18** (page 131).

3.12 Les pronoms démonstratifs (Demonstrative pronouns)

To say 'this one', 'that one', 'these (ones)' and 'those (ones)' in French, the basic words are *celui*, *celle*, *ceux* and *celles*. To make things clearer, you can add *-ci* for 'this', and *-là* for 'that':

Singular

	Masculine	Feminine
-ci	celui-ci	celle-ci
	this one	this one
-là	celui-là	celle-là
	that one	that one

Plural

	Masculine	Feminine
-ci	ceux-ci	celles-ci
	these (ones)	these (ones)
-là	ceux-là	celles-là
	those (ones)	those (ones)

Examples:

Laquelle des deux préférez-vous? – Celle-ci.
Which of the two do you prefer? – This one.

Ceux-là sont moins intéressants que ceux-ci.
Those are less interesting than these.

Note also:

Quel livre lis-tu? – Celui que tu m'as donné.
Which book are you reading? – The one you gave me.

4 Les adjectifs (Adjectives)

4.1 L'accord (Agreement)

Adjectives describe nouns. In French, they need to 'agree' with the noun they describe in both **gender** and **number**. The following table summarises all the forms of regular adjectives. (For common irregular adjectives, see below.)

Regular adjectives

Singular

Masculine	Feminine
grand	grande
important	importante

Plural

Masculine	Feminine
grands	grandes
importants	importantes

Adjectives ending in *-e*: no extra *e* in the feminine

jeune	jeune	jeunes	jeunes

Those ending in *-s*: no extra *s* in the masculine plural

mauvais	mauvaise	mauvais	mauvaises

Those ending in *-er*: note the *è* in the feminine forms

premier	première	premiers	premières

Adjectives ending in *-x* use a different pattern

sing	merveilleux	merveilleuse
pl	merveilleux	merveilleuses

Some adjectives ending in a final consonant double it before adding *e* in the feminine

bon	bonne	bons	bonnes
gros	grosse	gros	grosses

(NB no extra *s*)

Irregular adjectives

A number of French adjectives are irregular – including some of the commonest ones. The table below summarises those you are most likely to meet.

Singular

Masculine	Feminine
beau (bel*)	belle
blanc	blanche
long	longue
nouveau (nouvel*)	nouvelle
principal	principale
public	publique
secret	secrète
vieux (vieil*)	vieille

Plural

Masculine	Feminine
beaux	belles
blancs	blanches
longs	longues
nouveaux	nouvelles
principaux	principales
publics	publiques
secrets	secrètes
vieux	vieilles

* This form is the one used before a masculine noun beginning with a vowel or a silent *h*.

4.2 Position (Position)

Most adjectives go **after** the noun in French:

ma jupe **verte**

However, some common ones go in front of the noun:

bon	good	mauvais	bad
court	short	long	long
grand*	big, tall	petit	small
vieux	old	jeune	young
beau	beautiful	joli	pretty
excellent	excellent	ancien*	former
gentil	kind	cher*	dear
gros	fat	propre*	own
haut	high		

Examples: le **petit** garçon une **haute** colline

Note: The words starred have a different meaning if they are placed **after** the noun:

un **grand** homme	a **great** man
un homme **grand**	a **tall** man
l'**ancien** régime	the **former** government
un bâtiment **ancien**	an **old** building
mon **cher** ami	my **dear** friend
un pullover **cher**	an **expensive** pullover
ma **propre** maison	my **own** house
une maison **propre**	a **clean** house

4.3 Les comparatifs et les superlatifs (Comparatives and superlatives)

In English short adjectives commonly use '-er' and 'est' to form the comparative and superlative (e.g. bigger and biggest), while the longer ones use 'more' and 'most' (e.g. more important, most important). French almost always uses the latter system.

For 'more' and 'most' French uses *plus* (more) and *le plus* (most), e.g.
Cette jupe est **plus chère** que l'autre.
This skirt is more expensive than the other one.
La plus grande île du monde est le Groënland.
The biggest island in the world is Greenland.

Two common adjectives have irregular forms:

bon	meilleur	better
	le meilleur	the best
mauvais	pire*	worse
	le pire*	the worst

* *plus mauvais* and *le plus mauvais* are becoming more common

For 'less' and 'least', French uses *moins* and *le moins*, e.g.
Ces pommes-ci sont **moins** chères que celles-là.
These apples are less expensive than those.
Mais celles-là sont **les moins** chères.
But those (over there) are the least expensive.

Note also: *aussi ... que* – as big as etc.

4.4 Les adjectifs démonstratifs (Demonstrative adjectives)

The English 'this/that' and 'these/those' have the following equivalents in French:

Singular

Masculine	Feminine
ce (cet*)	cette

Plural

Masculine	Feminine
ces	ces

* Before a masculine noun starting with a vowel or a silent *h*.

Note that, as adjectives, these need to agree with the noun in gender and number, e.g.

ce bureau   cette femme
cet arbre   ces églises

To make things clearer, you can add -ci for 'this', and -là for 'that', e.g.

Je préfère cette couleur-ci.

I prefer this colour.

Connais-tu cet homme-là?

Do you know that man (over there)?

4.5 Les adjectifs possessifs (Possessive adjectives)

Singular

	Masculine	Feminine
my	mon	ma (mon*)
your (sing.)	ton	ta (ton*)
his/her	son	sa (son*)
our	notre	notre
your (pl.)	votre	votre
their	leur	leur

Plural

	Masculine and Feminine
my	mes
your (sing.)	tes
his/her	ses
our	nos
your (pl.)	vos
their	leurs

* Used before a feminine word starting with a vowel or a silent *h*, e.g.

Son histoire est très amusante.

Note that, as adjectives, these need to agree with the noun in gender and number. (It is this that matters, not the sex of the 'owner' – so, for example, *son frère* can mean either '**her** brother' or '**his** brother'.)

5 Les adverbes (Adverbs)

5.1 La formation (Formation)

Adverbs provide further information about verbs, adjectives or other adverbs: e.g. 'He **drives well**', 'It's an **extremely old** building', 'He did it **alarmingly badly**.' In English we form most adverbs by adding '-ly' to an adjective. Similarly, in French you add -*ment*. In the majority of cases the -*ment* is added to the feminine form of the adjective, e.g.

lente ⇨ lentement

complète ⇨ complètement

However, where the **masculine** form of the adjective ends in -*i* or -*u*, you add -*ment* to that, e.g.

absolu ⇨ absolument

vrai ⇨ vraiment

5.2 Les comparatifs et les superlatifs (Comparatives and superlatives)

These are formed in much the same way as with adjectives, e.g.

lentement	plus lentement	le plus lentement
slowly	more slowly	(the) most slowly

And for 'less' and 'least', you say *moins* and *le moins*, e.g.

moins difficile	le moins difficile
less difficult	(the) least difficult

Note: *bien* has an irregular comparative and superlative:

bien	good
mieux	better
le mieux	(the) best

Quantifiers are special adverbs used to say **to what extent** something is so.
The most common ones in French are:

assez	rather, quite, fairly
bien	very; (sometimes) rather
peu	a little, not very
presque	almost, nearly
si	so, such a
tout à fait	absolutely, entirely, completely
très	very
trop	too

They are used with adjectives and with other adverbs, e.g.

Je suis tout à fait épuisé!

I'm completely exhausted!

Elle l'a fait presque parfaitement.

She did it almost perfectly.

6 Les prépositions (Prepositions)

6.1 Les prépositions principales (Main prepositions)

Prepositions tell you where a person or thing is i.e. its position. For example:

à	at, to
dans	in, into
derrière	behind
devant	in front of
entre	between
sous	under

Other prepositions include:

après	after
avant	before
avec	with
chez	at the house of
de	of
en	in, to, by
pendant	during
pour	for
sans	without

A few common English prepositions are translated by short phrases in French:

près de	near
en face de	opposite
à côté de	beside

6.2 Verbe + Préposition + Infinitif (Verb + Preposition + Infinitive)

Some verbs can be followed by an infinitive without any linking word:

aimer	détester	laisser	préférer
aller	devoir	pouvoir	

Other verbs must be linked to the infinitive with a preposition. The following verbs take *à* before the infinitive:

aider à	se mettre à	commencer à
apprendre à	réussir à	

Other verbs must be linked to the infinitive by *de*.

avoir envie de	essayer de
avoir peur de	éviter de
cesser de	finir de
conseiller de	oublier de
décider de	se souvenir de
défendre de	tenter de
empêcher de	

7 Les quantités (Quantities)

General words expressing quantity are usually followed by *de* in French. The most common ones are:

assez (de)	enough
beaucoup (de)	much, many, a lot of
peu (de)	not much, little, few
tant (de)	so much, so many
trop (de)	too much, too many
un peu (de)	a little

Examples:

Nous n'avons pas assez **de** crayons.
We haven't enough pencils.
Il a beaucoup **d'**amis.
He has many friends.

But note: you do not need to use *de* after the quantity word *plusieurs* (= several):

J'ai plusieurs bonnes idées.
I've several good ideas.

You also use *de* after other quantity expressions:

un demi-kilo **de** pêches	half a kilo of peaches
une bouteille **de** vin	a bottle of wine

8 Les nombres (Numbers)

8.1 Les nombres cardinaux (Cardinal numbers)

0	zéro	16	seize
1	un	17	dix-sept
2	deux	18	dix-huit
3	trois	19	dix-neuf
4	quatre	20	vingt
5	cinq	21	vingt et un
6	six	22	vingt-deux
7	sept	23	vingt-trois
8	huit	24	vingt-quatre
9	neuf	25	vingt-cinq
10	dix	26	vingt-six
11	onze	27	vingt-sept
12	douze	28	vingt-huit
13	treize	29	vingt-neuf
14	quatorze	30	trente
15	quinze	31	trente et un

40	quarante
50	cinquante
60	soixante
70	soixante-dix
71	soixante-onze
80	quatre-vingts
81	quatre-vingt-un
90	quatre-vingt-dix
91	quatre-vingt-onze
100	cent
101	cent un
122	cent vingt-deux
200	deux cents
220	deux cent vingt
1 000	mille
2 000	deux mille
1 000 000	un million
2 000 000	deux millions

8.2 Les nombres ordinaux (Ordinal numbers)

1er/re	premier/première
2me	deuxième
3me	troisième
4me	quatrième
5me	cinquième
6me	sixième
7me	septième
8me	huitième
9me	neuvième
10me	dixième
11me	onzième
12me	douzième
20me	vingtième
21me	vingt et unième
22me	vingt-deuxième
40me	quarantième
100me	centième

9 Le calendrier (The calendar)

Les jours de la semaine

lundi   mardi   mercredi   jeudi   vendredi
samedi   dimanche

Les mois de l'année

janvier   février   mars   avril   mai   juin
juillet   août   septembre   octobre
novembre   décembre

You do not normally use either a preposition or an article when you mention the day, e.g.

J'y suis allée **lundi**.
I went there on Monday.

But note: You always include *le* if you are talking about something you **usually** or **always** do, e.g.

J'y vais (toujours) le lundi.
I (always) go there on Mondays.

Les quatre saisons

le printemps   l'été   l'automne   l'hiver

au printemps	in spring
en été	in summer
en automne	in autumn
en hiver	in winter

10 L'heure (The time)

1.00	Une heure
1.05	Une heure cinq
1.10	Une heure dix
1.15	Une heure et quart
1.20	Une heure vingt
1.25	Une heure vingt-cinq
1.30	Une heure et demie
1.35	Deux heures moins vingt-cinq
1.40	Deux heures moins vingt
1.45	Deux heures moins **le** quart
1.50	Deux heures moins dix
1.55	Deux heures moins cinq

Examples:

Quelle heure est-il? – Il est neuf heures et quart.
What time is it? – It's a quarter past nine.
Il est arrivé à sept heures moins vingt-cinq.
He arrived at twenty-five to seven.

Note the use of the twenty-four hour clock with trains etc.:

00.10	Zéro heures dix
01.15	Une heure quinze
11.30	Onze heures trente
22.45	Vingt-deux heures quarante-cinq

Tableaux de conjugaison

Verbes réguliers

	-er verbs	-ir verbs	-re verbs	Reflexive verbs
Infinitif (*Infinitive*)	donner *to give*	finir *to finish*	répondre *to answer*	se laver *to get washed*
Présent (*Present*)	je donne tu donnes il/elle/on donne nous donnons vous donnez ils/elles donnent	je finis tu finis il/elle/on finit nous finissons vous finissez ils/elles finissent	je réponds tu réponds il/elle/on répond nous répondons vous répondez ils/elles répondent	je me lave tu te laves il/elle/on se lave nous nous lavons vous vous lavez ils/elles se lavent
Imparfait (*Imperfect*)	je donnais tu donnais il/elle/on donnait nous donnions vous donniez ils/elles donnaient	je finissais tu finissais il/elle/on finissait nous finissions vous finissiez ils/elles finissaient	je répondais tu répondais il/elle/on répondait nous répondions vous répondiez ils/elles répondaient	je me lavais tu te lavais il/elle/on se lavait nous nous lavions vous vous laviez ils/elles se lavaient
Passé composé (*Perfect*)	j'ai donné tu as donné il/elle/on a donné nous avons donné vous avez donné ils/elles ont donné	j'ai fini tu as fini il/elle/on a fini nous avons fini vous avez fini ils/elles ont fini	j'ai répondu tu as répondu il/elle/on a répondu nous avons répondu vous avez répondu ils/elles ont répondu	je me suis lavé(e) tu t'es lavé(e) il/elle/on s'est lavé(e)(s) nous nous sommes lavé(e)s vous vous êtes lavé(e)(s) ils/elles se sont lavé(e)s
Futur (*Future*)	je donnerai tu donneras il/elle/on donnera nous donnerons vous donnerez ils/elles donneront	je finirai tu finiras il/elle/on finira nous finirons vous finirez ils/elles finiront	je répondrai tu répondras il/elle/on répondra nous répondrons vous répondrez ils/elles répondront	je me laverai tu te laveras il/elle/on se lavera nous nous laverons vous vous laverez ils/elles se laveront
Conditionnel (*Conditional*)	je donnerais tu donnerais il/elle/on donnerait nous donnerions vous donneriez ils/elles donneraient	je finirais tu finirais il/elle/on finirait nous finirions vous finiriez ils/elles finiraient	je répondrais tu répondrais il/elle/on répondrait nous répondrions vous répondriez ils/elles répondraient	je me laverais tu te laverais il/elle/on se laverait nous nous laverions vous vous laveriez ils/elles se laveraient

B Verbes réguliers – attention à l'orthographe!

With most -er verbs, as you can see on the previous page, you simply take the -er ending off the infinitive, and add the endings you need for a particular tense. (E.g. with *donner* you get *je donne, j'ai donné* and so on.) However, watch out for the spelling changes shown below.

Verbs with infinitives ending in -yer (note where the *y* changes to *i*) – e.g. *payer*

Présent	Futur	Conditionnel
je paie	je paierai	je paierais
tu paies	tu paieras	tu paierais
il/elle/on paie	il/elle/on paiera	il/elle/on paierait
ils/elles paient	nous paierons	nous paierions
	vous paierez	vous paieriez
	ils/elles paieront	ils/elles paieraient

Verbs with infinitives ending in -ger (note the *e* is left in before an *a* or an *o*) – e.g. *manger*

Présent	Imparfait
nous mangeons	je mangeais
	tu mangeais
	il/elle/on mangeait
	ils/elles mangeaient

Verbs with infinitives ending in -cer (note the *c* changes to *ç* before an *a* or an *o*) – e.g. *commencer*

Présent	Imparfait
nous commençons	je commençais
	tu commençais
	il/elle/on commençait
	ils/elles commençaient

Verbs with infinitives ending in -é + consonant(s) + er (note where the *é* changes to *è*) – e.g. *espérer*

Présent	
j'espère	**Note:** -*éger* verbs (e.g. *protéger*, to protect) change *é* to *è* in
tu espères	this way. They also follow the usual -*ger* pattern (see
il/elle/on espère	above), leaving in an *e* before -*ons* and -*ant* – e.g. *nous*
ils/elles espèrent	*protégeons, protégeant.*

Acheter, mener, se promener, lever, peser (note where *e* changes to *è*) – e.g. *acheter*

Présent	Futur	Conditionnel
j'achète	j'achèterai	j'achèterais
tu achètes	tu achèteras	tu achèterais
il/elle/on achète	il/elle/on achètera	il/elle/on achèterait
ils/elles achètent	nous achèterons	nous achèterions
	vous achèterez	vous achèteriez
	ils/elles achèteront	ils/elles achèteraient

Appeler, se rappeler, épeler, jeter (note where the *l* or *t* doubles) – e.g. *jeter*

Présent	Futur	Conditionnel
je jette	je jetterai	je jetterais
tu jettes	tu jetteras	tu jetterais
il/elle/on jette	il/elle/on jettera	il/elle/on jetterait
ils/elles jettent	nous jetterons	nous jetterions
	vous jetterez	vous jetteriez
	ils/elles jetteront	ils/elles jetteront

Verbes irréguliers

Infinitif *Infinitive*	Présent *Present*	Imparfait *Imperfect*	Passé composé *Perfect*	Futur *Future*	Conditionnel *Conditional*
aller *to go*	je vais, tu vas, il/elle/on va, nous allons, vous allez, ils/elles vont	j'allais	je suis allé(e)	j'irai	j'irais
apprendre, *to learn* – see **prendre**					
s'asseoir *to sit down*	je m'assieds, tu t'assieds, il/elle/on s'assied, nous nous asseyons, vous vous asseyez, ils/elles s'asseyent	je m'asseyais	je me suis assis(e)	je m'assiérai	je m'assiérais
avoir *to have*	j'ai, tu as, il/elle/on a, nous avons, vous avez, ils/elles ont	j'avais	j'ai eu	j'aurai	j'aurais
battre *to beat*	je bats, tu bats, il/elle/on bat, nous battons, vous battez, ils/elles battent	je battais	j'ai battu	je battrai	je battrais
boire *to drink*	je bois, tu bois, il/elle/on boit, nous buvons, vous buvez, ils/elles boivent	je buvais	j'ai bu	je boirai	je boirais
comprendre, *to understand* – see **prendre**					
conduire *to drive, lead*	je conduis, tu conduis, il/elle conduit, nous conduisons, vous conduisez, ils/elles conduisent	je conduisais	j'ai conduit	je conduirai	je conduirais
connaître *to know*	je connais, tu connais, il/elle/on connaît, nous connaissons, vous connaissez, ils/elles connaissent	je connaissais	j'ai connu	je connaîtrai	je connaîtrais

Infinitif *Infinitive*	Présent *Present*	Imparfait *Imperfect*	Passé composé *Perfect*	Futur *Future*	Conditionnel *Conditional*
construire *to build*	je construis, tu construis, il/elle/on construit, nous construisons, vous construisez, ils/elles construisent	je construisais	j'ai construit	je construirai	je construirais
convaincre, *to convince* – see **vaincre**					
courir *to run*	je cours, tu cours, il/elle/on court, nous courons, vous courez, ils/elles courent	je courais	j'ai couru	je courrai	je courrais
couvrir *to cover*	je couvre, tu couvres, il/elle/on couvre, nous couvrons, vous couvrez, ils/elles couvrent	je couvrais	j'ai couvert	je couvrirai	je couvrirais
craindre *to fear*	je crains, tu crains, il/elle/on craint, nous craignons, vous craignez, ils/elles craignent	je craignais	j'ai craint	je craindrai	je craindrais
croire *to believe*	je crois, tu crois, il/elle/on croit, nous croyons, vous croyez, ils/elles croient	je croyais	j'ai cru	je croirai	je croirais
cueillir *to pick,* *gather*	je cueille, tu cueilles, il/elle/on cueille, nous cueillons, vous cueillez, ils/elles cueillent	je cueillais	j'ai cueilli	je cueillerai	je cueillerais
cuire, *to cook* – see **conduire**					
découvrir, *to discover* – see **ouvrir**					
décrire, *to describe* – see **écrire**					
détruire, *to destroy* – see **conduire**					
devenir, *to become* – see **venir**					
devoir *to have to;* *to owe*	je dois, tu dois, il/elle/on doit, nous devons, vous devez, ils/elles doivent	je devais	j'ai dû	je devrai	je devrais

Infinitif *Infinitive*	Présent *Present*	Imparfait *Imperfect*	Passé composé *Perfect*	Futur *Future*	Conditionnel *Conditional*
dire *to say*	je dis, tu dis, il/elle/on dit, nous disons, vous dites, ils/elles disent	je disais	j'ai dit	je dirai	je dirais
disparaître, *to disappear* – see **paraître**					
dormir *to sleep*	je dors, tu dors, il/elle/on dort, nous dormons, vous dormez, ils/elles dorment	je dormais	j'ai dormi	je dormirai	je dormirais
écrire *to write*	j'écris, tu écris, il/elle/on écrit, nous écrivons, vous écrivez, ils/elles écrivent	j'écrivais	j'ai écrit	j'écrirai	j'écrirais
s'endormir, *to go to sleep* – see **dormir** (**But** remember use of *être* in reflexive verbs)					
entretenir, *to maintain* – see **tenir**					
être *to be*	je suis, tu es, il/elle/on est, nous sommes, vous êtes, ils/elles sont	j'étais	j'ai été	je serai	je serais
faire *to do; to make*	je fais, tu fais, il/elle/on fait, nous faisons, vous faites, ils/elles font	je faisais	j'ai fait	je ferai	je ferais
lire *to read*	je lis, tu lis, il/elle/on lit, nous lisons, vous lisez, ils/elles lisent	je lisais	j'ai lu	je lirai	je lirais
mettre *to put*	je mets, tu mets, il/elle/on met, nous mettons, vous mettez, ils/elles mettent	je mettais	j'ai mis	je mettrai	je mettrais
obtenir, *to obtain* – see **tenir**					
offrir *to offer*	j'offre, tu offres, il/elle/on offre, nous offrons, vous offrez, ils/elles offrent	j'offrais	j'ai offert	j'offrirai	j'offrirais

Infinitif *Infinitive*	Présent *Present*	Imparfait *Imperfect*	Passé composé *Perfect*	Futur *Future*	Conditionnel *Conditional*
ouvrir *to open*	j'ouvre, tu ouvres, il/elle/on ouvre, nous ouvrons, vous ouvrez, ils/elles ouvrent	j'ouvrais	j'ai ouvert	j'ouvrirai	j'ouvrirais
paraître *to appear*	je parais, tu parais, il/elle/on paraît, nous paraissons, vous paraissez, ils/elles paraissent	je paraissais	j'ai paru	je paraîtrai	je paraîtrais
partir *to leave*	je pars, tu pars, il/elle/on part, nous partons, vous partez, ils/elles partent	je partais	je suis parti(e)	je partirai	je partirais
pouvoir *to be able*	je peux, tu peux, il/elle/on peut, nous pouvons, vous pouvez, ils/elles peuvent	je pouvais	j'ai pu	je pourrai	je pourrais
prendre *to take*	je prends, tu prends, il/elle/on prend, nous prenons, vous prenez, ils/elles prennent	je prenais	j'ai pris	je prendrai	je prendrais
recevoir *to receive*	je reçois, tu reçois, il/elle/on reçoit, nous recevons, vous recevez, ils/elles reçoivent	je recevais	j'ai reçu	je recevrai	je recevrais

reconnaître, *to recognise* – see **connaître**

revenir, *to return* – see **venir**

| rire
to laugh | je ris, tu ris,
il/elle/on rit,
nous rions,
vous riez,
ils/elles rient | je riais | j'ai ri | je rirai | je rirais |

satisfaire, *to satisfy* – see **faire**

| savoir
to know;
to know how | je sais, tu sais,
il/elle/on sait,
nous savons,
vous savez,
ils/elles savent | je savais | j'ai su | je saurai | je saurais |

Infinitif *Infinitive*	Présent *Present*	Imparfait *Imperfect*	Passé composé *Perfect*	Futur *Future*	Conditionnel *Conditional*
sentir *to feel; to smell*	je sens, tu sens, il/elle/on sent, nous sentons, vous sentez, ils/elles sentent	je sentais	j'ai senti	je sentirai	je sentirais
servir *to serve*	je sers, tu sers, il/elle/on sert, nous servons, vous servez, ils/elles servent	je servais	j'ai servi	je servirai	je servirais
sortir *to go out*	je sors, tu sors, il/elle/on sort, nous sortons, vous sortez, ils/elles sortent	je sortais	je suis sorti(e)	je sortirai	je sortirais
souffrir *to suffer*	je souffre, tu souffres, il/elle/on souffre, nous souffrons, vous souffrez, ils/elles souffrent	je souffrais	j'ai souffert	je souffrirai	je souffrirais

sourire, *to smile* – see **rire**

se souvenir de, *to remember* – see **venir**

Infinitif	Présent	Imparfait	Passé composé	Futur	Conditionnel
suivre *to follow*	je suis, tu suis, il/elle/on suit, nous suivons, vous suivez, ils/elles suivent	je suivais	j'ai suivi	je suivrai	je suivrais
tenir *to hold*	je tiens, tu tiens, il/elle/on tient, nous tenons, vous tenez, ils/elles tiennent	je tenais	j'ai tenu	je tiendrai	je tiendrais
venir *to come*	je viens, tu viens, il/elle/on vient, nous venons, vous venez, ils/elles viennent	je venais	je suis venu(e)	je viendrai	je viendrais
voir *to see*	je vois, tu vois, il/elle/on voit, nous voyons, vous voyez, ils/elles voient	je voyais	j'ai vu	je verrai	je verrais
vouloir *to want*	je veux, tu veux, il/elle/on veut, nous voulons, vous voulez, ils/elles veulent	je voulais	j'ai voulu	je voudrai	je voudrais

Vocabulaire français–anglais

A

abattre – to cut down (*trees*)
une abeille – bee
une absence – absence
absent(e) – absent
d' accord – OK
accroupi(e) – hunched, crouching
faire les achats (*m*) – to do the shopping
acheter – to buy
une activité – activity
actuellement – at present
admirer – to admire
une adolescence – adolescence
l' aérobic (*f*) – aerobics
un aéroport – airport
les affaires (*f*) – things, belongings
afin de – in order to
l' Afrique (*f*) – Africa
l' âge (*m*) – age
agir – to act
aider – to help
l' ail (*m*) – garlic
aimer – to like
aîné(e) – older
une aire de jeux – play area
une alarme – alarm
un alligator – alligator
l' alcool (*m*) – alcohol
aller – to go
une allumette – match
alors – then, at that moment
les Alpes (*f*) – Alps
l' altitude (*f*) – height, altitude
à toute allure – at full speed
une ambulance – ambulance
un ami, une amie – friend
une ampoule – blister
s' amuser – to have fun
ancien(e) – former
l' ancrage (*m*) – anchorage
l' Angleterre (*f*) – England
un animal – animal
une année – year
un anniversaire – birthday
un anorak – anorak
l' Antarctique (*m*) – Antarctic
les Antilles (*f*) – West Indies
apercevoir – to see
apparaître – to appear

un appareil photo – camera
un appartement – flat, apartment
appartenir à – to belong to
s' appeler – to be called
appliquer – to apply
apporter – to bring
s' approcher de – to approach
un après-midi – afternoon
un arbre – tree
archéologique – archeological
l' architecture (*f*) – architecture
l' argent (*m*) – money
l' argile (*f*) – clay
un arrêt de bus – bus stop
arrêter – to stop
un arrière-grand-père – great-grandfather
arriver – to arrive
arroser – to water
un article – article
une articulation – joint
un(e) artiste – artist
un ascenseur – lift, elevator
un aspirateur – hoover
assez – enough
assez grand(e) – quite big
une assiette – plate
une assiettée – plateful
un(e) astronaute – astronaut
l' Atlantique (*m*) – Atlantic
l' aube (*f*) – dawn
une auberge – inn
une auberge de jeunesse – youth hostel
augmenter – to increase
aujourd'hui – today
l' autobronzant (*m*) – self-tanning cream
automatique – automatic
autour de – around
une autoroute – motorway
autre – other
avant de – before
un avantage – advantage
avec – with
une aventure – adventure
aveuglant(e) – blinding
un avion – plane
un avis – opinion
avoir – to have

B

le babyfoot – table football
le(la) baby-sitter – babysitter
le baccalauréat – French A-levels
les bagages (*m*) – luggage
se baigner – to bathe, to swim
la baignoire – bath(tub)
baisser – to lower
le bal – ball (dance)
la balade – walk, stroll, drive
la baladeur – walkman
la baleine – whale
la baleine à bosse – humpbacked whale
le baleineau – baby whale
le ballon – ball
la banlieue – suburb
la banque – bank
le bar – bar, pub
le barbecue – barbecue
la barre – bar
le basketball – basketball
le bateau – boat
le bâtiment – building
bâtir – to build
bavard(e) – talkative
bavarder – to chat
la B.D. – comic strip
beau(belle) – beautiful
beaucoup de – a lot of
le beau-père – father-in-law
la beauté – beauty
le bébé – baby
avoir besoin de – to need
les bêtises – mischief
le béton – concrete
le beurre – butter
bicolore – two-coloured
bien – well
bientôt – soon
la bière – beer
le billard – pool, billiards
le billet – ticket
le biscuit – biscuit
la bisque – thick soup
le bivouac – bivouac (*temporary encampment*)
bivouaquer – to camp
bizarre – strange, bizarre
blanc(he) – white
blesser – to injure
bleu(e) – blue

bleu clair – light blue
bleu foncé – dark blue
bleu marine – navy blue
bleu pâle – pale blue
blond(e) – blond
boire – to drink
le bois – wood
la boisson – drink
la boîte – box, tin
le bol – bowl
bon(ne) – good
le bonbon – sweet
bon marché – cheap
le bord – edge
à bord de – on board
la botte – boot
la bouche – mouth
être bouche bée – to be astonished
le bouchon – cork, top, traffic jam
la boucle – loop
bouger – to move
le bouillon – stock
la boum – party
bouquiner – to read
le bourdonnement – buzzing
la boussole – compass
la bouteille – bottle
la boutique – shop
le bouton – button, spot
le bowling – bowling
la branche – branch
branché(e) – trendy
le bras – arm
la Bretagne – Brittany
le brevet – school certificate (taken at 16)
la brochure – brochure
bronzer – to tan
se brosser les cheveux – to brush one's hair
le brouillard – fog
le bruit – noise
brûler – to burn
brun(e) – dark(-haired)
brusque – sudden, abrupt
le bureau – office
le Burkina Faso – Burkina Faso
le bus – bus
la buse – buzzard

C

la cabane – hut
le cadeau – present
le café – café, coffee
la cafétéria – cafeteria
la cage – cage
le calcium – calcium

la calculette – (pocket) calculator
la calèche – (horse-drawn) carriage
le camion – lorry
la campagne – country(side)
le campeur, la campeuse – camper
le camping – campsite, camping
le Canada – Canada
la canne à pêche – fishing rod
le canoë – canoe
le canoë-kayak – kayak
le canon – cannon
la cantine – canteen
le capitaine – captain
la capitale – capital
le car – coach
les Caraïbes (f) – Caribbean (Islands)
le carnet – book of tickets
carnivore – carniverous
le carrefour – crossroads
la carte – card, map
la carte postale – postcard
le casque – helmet
casser – to break
la casserole – (cooking) pot
la cathédrale – cathedral
le cavalier – rider
la cave – cellar
la caverne – cave
le centre – centre
le centre-ville – town centre
la céréale – cereal
le certificat – certificate
la chair – flesh
la chambre – bedroom
le champ – field
le champagne – champagne
le champion, la championne – champion
la chandelle – candle
la chanson – song
chanter – to sing
le chanteur, la chanteuse – singer
le chapeau – hat
le chapon – capon
chaque – each, every
la charcuterie – cooked pork meats
la chasse – hunting
le chat – cat
châtain – brown (-haired)
le château – castle
chaud(e) – hot
le chauffage central – central heating

chauffé(e) – heated
la chaussure – shoe
la chemise – shirt
cher(ère) – expensive, dear
chercher – to look for
le cheval – horse
la cheville – ankle
les cheveux (m) – hair
chic – smart
le chien – dog
le chocolat – chocolate
choisir – to choose
le choix – choice
au chômage – unemployed
la chose – thing
le chou – cabbage
chouette – smashing
la chute d'eau – waterfall
le cinéma – cinema
circulaire – circular
la circulation – traffic
le citron – lemon
la classe – class
classique – classical
la clientèle – customers
le climat – climate
le club – club
le cocotier – palm tree
le cognac – brandy
le collège – (secondary) school
le collier – necklace
combien de – how much, how many
commencer – to begin
le commerçant – shopkeeper
commun(e) – common, shared
la compagnie – company
la compétition – competition
complet(ète) – complete
complètement – completely
se comporter – to behave
composter un billet – to punch a ticket
comprendre – to understand
le compte-rendu – report
le(la) concierge – caretaker
la condition – condition
le conducteur, la conductrice – driver
la confiture – jam
confortable – comfortable
connaître – to know
connu(e) – (well-)known
le conseil – advice, tip
conseiller – to advise
conserver – to keep

la consigne – locker
la consommation – consumption
construire – to build
consulter – to consult
continuer – to continue
contre – against
le contrôle – test, control
le contrôleur aérien – air-traffic controller
convaincre – to convince
le copain, la copine – friend
le corps – body
le(la) corres – penpal
le côté – side
le coton – cotton
se coucher – to go to bed
le coude – elbow
couler – to flow
la couleur – colour
le couloir – corridor
le coup – blow, hit
la cour – courtyard, (royal) court
le courage – courage
courir – to run
le cours – lesson
la course – race
les courses (f) – shopping
court(e) – short
le court de tennis – tennis court
le cousin, la cousine – cousin
le couteau – knife
le couteau suisse – Swiss-army knife
coûter – to cost
le couvent – convent
couvert(e) – covered, overcast
le couvert – place setting
la couverture – cover, blanket
le crampon – crampon
craquer pour – to be crazy about
la cravate – tie
la crème solaire – sun cream
croire – to believe
la croisière – cruise
le croissant – croissant
la cruche – jug
cuire – to cook
la cuisine – kitchen, cooking
cuisiner – to cook
le cuisinier – cook
cultiver – to grow (crop)
le curé – parish priest
le cyclisme – cycling

D

daltonien(ne) – colour-blind
le danger – danger
dangereux(euse) – dangerous
la danse – dancing
la date – date
le dauphin – dolphin
débarrasser la table – to clear the table
debout – standing
le début – beginning
le débutant, la débutante – beginner
décider – to decide
la décision – decision
se déclencher – to go off
décontracté(e) – relaxed
la découverte – discovery
découvrir – to discover
dégourdir – to warm up
la dégustation – tasting
dehors – outside
déjà – already
le déjeuner – lunch
délavé(e) – faded
demain – tomorrow
demander – to ask
déménager – to move (house)
la demi-soeur – half sister
la dent – tooth
le dentifrice – toothpaste
le dentiste – dentist
déodorant(e) – deodorant (adj)
le déodorant – deodorant
le départ – departure
dépendre – to depend
depuis – since
le(la) dermatologue – dermatologist
dernier(ère) – last
les dés (m) – (game of) dice
descendre – to go down, to get off
la descente – descent
désespérer – to despair
le dessert – dessert
dessiner – to draw
le destin – fate, destiny
la destruction – destruction
la détente – relaxation
détester – to hate
détruire – to destroy
devenir – to become
devoir – to have to
les devoirs (m) – homework

la différence – difference
différent(e) – different
la digestion – digestion
le dindon – turkey
dîner – to have dinner
dire – to say
la discothèque – disco(thèque)
discuter – to discuss
disparaître – to disappear
dispenser – to exempt
se dissiper – to clear
distrait(e) – distracted
le documentaire – documentary
le doigt – finger
le doigt de pied – toe
la domestique – maid
le domestique – (man)servant
donner à manger à – to feed
dormir – to sleep
le dos – back
doucement – gently
la douche – shower
se doucher – to have a shower
draguer – to chat up
le drap – sheet
dresser – to put up
le droit – right
drôle – funny
dur(e) – hard
la durée – duration
durer – to last

E

l' eau (f) – water
écarter – to spread
l' échappement (m) – exhaust
un échauffement – warm-up
les échecs (m) – chess
une éclaircie – bright interval
éclater de rire – to burst out laughing
une école – school
une école maternelle – nursery school
une école primaire – primary school
écouter – to listen to
un écran – screen
écraser – to crush
une écurie – stable
un édifice – building
une éducation – education
effréné(e) – wild

égal(e) – equal, level
également – as well
l' électricité (f) – electricity
électrique – electric
un éléphant – elephant
élever – to raise
emballé(e) – wrapped
embêter – to bother
un embouteillage – traffic jam
emmener – to take away
s' empêcher de – to stop oneself from
un empereur – emperor
un emploi – job
encore une fois – once again
endommager – to damage
un endroit – place
l' énergie (f) – energy
énerver – to annoy
une enfance – childhood
un enfant – child
s' enflammer – to catch fire
ennuyeux(euse) – boring
énorme – enormous
enregistrer – to record
ensemble – together
ensoleillé(e) – sunny
ensuite – then
s' entendre (avec) – to get on (with)
entier(ère) – whole
un(e) entomologiste – entomologist
entouré(e) de – surrounded by
l' entraînement (m) – training
une entrée – hall
entrer – to go in
une entrevue – interview
les environs (m) – area
une épaule – shoulder
une équipe – team
l' équitation (f) – riding
l' escalade (f) – climbing
escalader – to climb
un escalier – (flight of) stairs
escarpé(e) – steep
l' escrime (f) – fencing
un espace – space
esquiver – to avoid
essayer de – to try to
un estomac – stomach
un étage – floor, storey
étaler – to spread out
une étape – stage
l' été (m) – summer
étendre – to stretch out
une étoile – star

un étourneau – starling
être – to be
étroit(e) – narrow, tight
les études (f) – studies
un étudiant, une étudiante – student
une évacuation – evacuation
une évasion – escape
évident(e) – clear, obvious
éviter – to avoid
excité(e) – excited
une excursion – trip
une excuse – excuse
l' exercice (m) – exercise
exigeant(e) – demanding
un expert, une experte – expert
une exposition – exhibition
exprimer – to express
un extincteur – (fire) extinguisher

F

la façade – front (of a building)
facile – easy
le facteur – postman
faible – weak
avoir faim – to be hungry
faire – to do
le faisan – pheasant
falloir – to be necessary
la famille – family
fana de – crazy about
fantastique – fantastic
le fantôme – ghost
la farine – flour
fatigant(e) – tiring
fatigué(e) – tired
le faubourg – suburb
le faucon – falcon
la faune – fauna
la faux – scythe
faux(sse) – false
favoriser – to favour
la femme – wife, woman
félicitations! – congratulations!
féliciter – to congratulate
la fenêtre – window
ferme – firm
la ferme – farm
fermer – to close
la fermeture éclair – zip
le festin – feast
la fête – celebration, feast (day), festival
la fête des mères – Mother's Day

fêter – to celebrate
le feu – fire
la feuille – leaf
la fibre – fibre
la fiche – form
la fièvre – fever
la figure – face, figure
la fille – daughter, girl
le film – film
le fils – son
finalement – finally
finir – to finish
la flèche – arrow
la fleur – flower
le fleuve – river
la flore – flora
la fois – time
une fois par semaine – once a week
le foot – football
la forêt – forest
en forme – fit
le foudre – lightning
se fouler la cheville – to sprain one's ankle
la fourchette – fork
la fourmi – ant
français(e) – French
la France – France
fréquent(e) – frequent
le frère – brother
le frigo – fridge
les fringues (f) – clothes
les frites (f) – chips
froid(e) – cold
le fromage – cheese
frotter – to rub
le fruit – fruit
fumer – to smoke
la fusée – rocket
le futur – future

G

gagner – to earn
le gant – glove
le garage – garage
le garagiste – garage owner
le garçon – boy
la garderie – crèche
la gare – station
la gare routière – bus station
garer la voiture – to park the car
le gaspillage – waste
le gâteau – cake
à gauche – on the left
le gaz – gas
les gaz (m) d'échappement – exhaust fumes

gazeux(euse) – fizzy
le gazon – lawn
gêné(e) – embarrassed
la générosité – generosity
génial(e) – brilliant
le genou – knee
la genouillère – kneepad
gentil(le) – kind
la gentillesse – kindness
géométrique – geometric
gigantesque – gigantic
la glace – ice cream, ice
le glacier – glacier
glissant(e) – slippery
le glucide – carbohydrate
gonfler – to blow up, to inflate
la gorge – throat
goûter – to taste
la graisse – fat
grand(e) – large
la grand-mère – grandmother
les grand-parents (m) – grandparents
le grand-père – grandfather
gratuit(e) – free
grave – serious
la grève – strike
la grillade – grill
la grippe – flu
gros(se) – fat
la grotte – cave
la Guadeloupe – Guadeloupe
la guerre – war
le guide – guide
guidé(e) – guided
la gymnastique – gymnastics

H

un habitat – habitat
s' habiller – to get dressed
un habitant, une habitante – inhabitant
habiter – to live
une habitude – habit
haché(e) – chopped
le hamburger – hamburger
la hanche – hip
hausser les épaules – to shrug one's shoulders
haut(e) – high
l' hébergement (m) – accommodation
l' herbe (f) – grass
un héritier – heir
une héritière – heiress
une heure – hour
à l' heure – on time

heureusement – fortunately
heurter – to strike, to hit
se heurter – to collide
un hexagone – hexagon
le hibou – owl
hier – yesterday
une histoire – history, story
historique – historic
l' hiver (m) – winter
un homme – man
un honneur – honour
un hôpital – hospital
horrible – horrible
le hot-dog – hot dog
un hôtel – hotel
l' hôtellerie (f) – hotel business
l' huile (f) – oil

I

une image – picture
imminent(e) – imminent
un immeuble – block of flats
impressionant(e) – impressive
impressionné(e) – impressed
imprévu(e) – unexpected
un incendie – fire
inclu(e) – included
un inconvénient – disadvantage
indien(ne) – Indian
individuel(le) – individual
industriel(le) – industrial
une infirmière – nurse
un ingénieur – engineer
une inondation – flood
une institutrice – primary teacher
intéressant(e) – interesting
s' intéresser à – to be interested in
interroger – to ask questions
intime – private
inventer – to invent
inviter – to invite
isolé(e) – isolated

J

(ne ...) jamais – never
la jambe – leg
le jambon – ham
le jardin – garden
le jardinier – gardener
jaune – yellow
le jean – jeans

jeudi – Thursday
le jeu vidéo – video game
jeune – young
les jeunes (m) – young people
le jogging – jogging
la joie – joy
joli(e) – pretty
jouer – to play
le jouet – toy
le jour – day
le journal – newspaper, diary
journalier(ère) – daily
la journée – day
les jumeaux (m) les jumelles (f) – twins
la jupe – skirt
le Jura – Jura (Mountains)
le jus – juice
le jus de fruits – fruit juice

K

le kayak – kayak
le karaté – karate
le karting – go-karting
le kilo – kilo

L

le lac – lake
laid(e) – ugly
la laideur – ugliness
laisser – to leave
le lait – milk
la lampe – light, lamp
la lampe de poche – torch
la langue – tongue, language
large – wide
la larme – tear
laver – to wash
se laver – to wash oneself
la laverie (automatique) – laundrette
la leçon – lesson
légèrement – lightly, gently
le légume – vegetable
le lendemain – the next day
la lettre – letter
lever – to raise
se lever – to get up
libre – free
le lieu – place
la ligne – line
faire le linge – to do the linen
un lion – lion
le liquide – liquid
lire – to read
le lit – bed
le lit de camp – camp bed
loin – far

les loisirs (*m*) – hobbies
long(ue) – long
la longueur – length
longtemps – for a long time
louer – to hire
lourd(e) – heavy
lundi – Monday
la lune – moon
les lunettes (*f*) – glasses, spectacles
les lunettes (*f*) de soleil – sunglasses
le lycée – 6th form college

M

le magasin – shop
le magazine – magazine
magnifique – magnificent
le maillot – jersey
la main – hand
la mairie – town hall
le maïs – maize
la maison – house
à la maison – at home
avoir mal au coeur – to feel sick
avoir mal à la gorge – to have a sore throat
faire mal – to hurt
malade – ill
malgré – in spite of
le manège – roundabout
manger – to eat
le mannequin – model
le manque – lack
manuel(le) – manual
le marché – market
marcher – to walk, to work
mardi – Tuesday
le mariage – wedding, marriage
se marier avec – to marry
le Maroc – Morocco
marrant(e) – funny
avoir marre de – to be fed up with
marron – brown
la Martinique – Martinique
masquer – to conceal
la masse – mass
le match de foot – football match
les maths (*f*) – maths
les matières (*f*) grasses – fat (content)
le matin – morning
la matinée – morning
faire la grasse matinée – to have a long lie

le médecin – doctor
médical(e) – medical
la Méditerranée – Mediterranean
meilleur(e) – better
le meilleur, la meilleure – best
le ménage – housework
la mer – sea
mercredi – Wednesday
la mère – mother
la merguez – (spicy) sausage
la messe – mass
le métal – medal
la météo – weather (forecast)
le métier – job
le métro – underground
mettre – to put
mettre la table – to lay the table
les meubles (*m*) – furniture
le microscope – microscope
midi – midday
mieux – better
le(la) mieux – best
la mi-journée – midday
le mil – millet
le milieu – middle
mince – slim
le ministre – minister
le miroir – mirror
la mobylette – moped
le mocassin – mocassin
moche – ugly
la mode – fashion
le mode d'emploi – instructions
le moine – monk
moins – less
moins de – less
le monde – world
le moniteur, la monitrice – instructor
monotone – monotonous
la montagne – mountain
monter – to go up
la montgolfière – hot-air balloon
la montre – watch
le monument – monument
se moquer de – to make fun of
la mort – death
la mosquée – mosque
le mot – word
la moto – motorbike
la moufle – mitt
mourir – to die
le mousqueton – karabiner

le mouton – sheep
le mouvement – movement
moyen(ne) – average
le moyen de transport – means of transport
la moyenne – average
le mur – wall
la muraille – (high) wall
le muscle – muscle
le musée – museum
la musique – music
myope – short-sighted

N

nager – to swim
le nain – dwarf
naître – to be born
la natation – swimming
la nationalité – nationality
la nature – nature
naturel(le) – natural
le navet – turnip
la navette – shuttle
né(e) – born
la neige – snow
neiger – to snow
nettoyer – to clean
le nez – nose
noir(e) – black
la noix – walnut, nut
le nord – north
normalement – usually
la nourrice – nursemaid
nourrir – to feed, to nourish
la nourriture – food
nuageux(euse) – cloudy
nu(e) – naked
la nuit – night

O

obligatoire – compulsory
une obsession – obsession
occidental(e) – western
s' occuper de – to look after
un océan – ocean
une odeur – smell
un oeuf – egg
offrir – to offer
un oiseau – bird
un oncle – uncle
un orage – storm
orageux(euse) – stormy
orange – orange
un ordinateur – computer
une oreille – ear
un organe – organ
un os – bone

oublier – to forget
l' ouest (*m*) – west
un ours – bear
un outil – tool
ouvert(e) – open
un ouvrier – workman

P

le Pacifique – Pacific
le pain – bread
le palais – palace
panser un cheval – to groom a horse
le pantalon – (pair of) trousers
la panthère – panther
la papeterie – stationery
le papillon – butterfly
papoter – to chatter
paraître – to seem
le parapente – paragliding
le parc – park
le parc d'attractions – theme park
parce que – because
parcourir – to cover
pareil(le) – same
entre parenthèses – in brackets
les parents (*m*) – parents, relations
paresseux(euse) – lazy
le parfum – perfume
le parking – car park
parler – to talk
parmi – among
la paroi – wall
partagé(e) entre – divided between
partager – to share
le(la) partenaire – partner
la partie – part
partir – to leave
partout – everywhere
le passage – passage
passer l'aspirateur – to hoover
le passe-temps – pastime
la pâte – pastry
les pâtes (*f*) – pasta
la pâtisserie – cake, cake shop
payer – to pay
la peau – skin
pêcher – to fish
se peigner – to comb one's hair
à peine – hardly, barely
la pellicule – film (*for a camera*)
penser – to think

perdre – to lose
la perdrix – partridge
le père – father
perfectionner – to improve
le périphérique – ring road
la perle – pearl
permanent(e) – permanent
permettre – to permit
le personnage – personality, figure
la personnalité – personality
ne ... personne – nobody, no-one, not anybody
peser – to weigh
la pétanque – bowls (game)
petit(e) – small
le petit ami/copain – boyfriend
la petite amie/copine – girlfriend
le petit déjeuner – breakfast
le petit pain – (bread) roll
peu de – little, not much, not many
la pharmacie – chemist's (shop)
la photo – photo
physique – physical
le piano – piano
picoter – to prickle
la pièce – room
le pied – foot
à pied – on foot
la pierre – stone
le piéton, la piétonne – pedestrian
le pigeonnau – small pigeon
la pile – battery
piloter un avion – to fly a plane
le ping-pong – table tennis
le pingouin – penguin
le piolet – ice axe
la pipe – pipe
pique-niquer – to picnic
la piscine – swimming pool
la pizza – pizza
la place – place, space, square
la plage – beach
se plaindre – to complain
le plaisir – pleasure
la planche à voile – wind-surfer/surfing
la planète – planet
la plante – plant
le plastique – plastic
plat(e) – flat
plein(e) – full
en plein air – outdoors

pleurer – to cry, to weep
il pleut – it's raining, it rains
pleuvoir – to rain
la plongée – diving
plonger – to dive
la plupart – majority
plus (de) – more
ne ... plus – no longer, not any more
plusieurs – several
plutôt – rather
pluvieux(euse) – rainy
le pneu – tyre
le poids – weight
le poids lourd – lorry
le poignet – wrist
le point – point
le poisson – fish
la police – police
la pollution – pollution
la pomme de terre – potato
le pont – bridge, deck
la population – population
porter – to carry, to wear
poser – to lay down
posséder – to own, to possess
la poste – post office
le potage – soup
le pot-au-feu – stew
le poulet – chicken
pousser des cris – to shout
la poussière – dust
pouvoir – to be able to
la prairie – meadow
se précipiter – to hurry
le prédateur – predator
préférer – to prefer
préhistorique – prehistoric
premier(ère) – first
prendre – to take
se préoccuper de – to be concerned about
préparer – to prepare
près de – near
la présence – presence
la pression – pressure
prestigieux(euse) – prestigious
prêter – to lend
prévu(e) – expected
le prix – price
prochain(e) – next
propre – own, clean
le(la) prof(esseur) – teacher
la profondeur – depth
la promenade – walk
promener le chien – to walk the dog

protéger – to protect
la protéine – protein
protester – to protest
en provenance de – coming from
public(ique) – public
puis – then
le puits – well
le pull(-over) – jumper
la pyramide – pyramid
les Pyrénées (f) – Pyrenees

Q

le quartier – neighbourhood
quel(le) – which
quelquefois – sometimes
quelqu'un – someone

R

raboteux(euse) – uneven, rough
raconter – to tell
la radio – radio
la rafale – gust (of wind)
la randonnée – walk, hike
ranger – to tidy
le rapace – bird of prey
rapide – rapid
la rayure – stripe
recevoir – to receive
recommander – to recommend
la récré – break
redoutable – fearsome
réduire – to reduce
regarder – to watch
la région – region
régulièrement – regularly
la reine – queen
relax – laid back
relier – to join
la religieuse – nun
le remous – swell, stir
rempli(e) de – filled with
le rendez-vous – appointment
se rendre à – to go to
rentrer – to go home
renverser – to knock over
le repas – meal
répondre – to reply
la réponse – answer
se reposer – to rest
le reptile – reptile
la réservation – reservation
respirer – to breathe
responsable – responsible
se ressembler – to look alike
le restaurant – restaurant

le restaurant-self – self-service (restaurant)
rester – to stay
le resto – restaurant
en retard – late
le retard – delay
le retour – return
retourner – to return
le retraité, la retraitée – pensioner
la Réunion – Reunion
réussir – to succeed
le rêve – dream
se réveiller – to wake up
revoir – to see again
la revue – magazine
le rhume des foins – hay fever
le rideau – curtain
riche – rich
ne ... rien – nothing
rigoler – to laugh
rigolo(te) – funny
rire – to laugh
la rivière – river
le riz – rice
la robe – dress
le roi – king
le roller – roller-skating
rose – pink
rouge – red
la rougeole – measles
rouler – to roll
la route – road, way
roux(sse) – red(-haired)
la rubéole – German measles
la rue – street
le rugby – rugby

S

le sable – sand
le sac – bag
le sac à main – handbag
le sac de couchage – sleeping bag
le safari – safari
sain(e) – healthy
saisir – to seize
la saison – season
la salade – salad
la salle à manger – dining room
la salle commune – common room
la salle des bains – bathroom
la salle de réunion – meeting room
le salon – living room
samedi – Saturday

la sandale – sandal
le sandwich – sandwich
la santé – health
un satellite – satellite
la saucisse – sausage
sauf – except
savoir – to know
le savon – soap
la sculpture – sculpture
la séance – session
sec(sèche) – dry
secret(ète) – secret
le secteur – sector
le sel – salt
selon – according to
le sens – direction
sentir – to smell
sérieux(euse) – serious
la serre – greenhouse
la serviette – napkin
servir à – to be used for
seulement – only
le shampooing – shampoo
le short – (pair of) shorts
le siècle – century
le siège – head office
le signe astrologique – star sign
le site – site
situé(e) – situated
le skate – skateboarding
le ski – skiing
le ski nautique – water skiing
la soeur – sister
avoir soif – to be thirsty
le soir – evening
la soirée – evening, party
le soleil – sun
solide – solid, strong
la solitude – solitude
le sommet – summit
le sondage – (opinion) poll
la sortie – exit
sortir – to go out
soudain(e) – sudden
le souffle de vent – breath of wind
souffler – to blow
le soulier – shoe
la soupe – soup
le souper – supper
le sourire – smile
le sous-sol – basement
souterrain(e) – underground
le souvenir – souvenir, memory
se souvenir de – to remember
souvent – often

les spaghettis (*m*) – spaghetti
spatial(e) – space (adj)
le spectacle – spectacle
le sport – sport
sportif(ve) – sporty
le stade – stadium
le stage – course
la station de ski – ski resort
le studio – studio flat
stupide – stupid
le sucre – sugar
sucré(e) – sugary
le sud – south
suivre – to follow
la superficie – surface area
le supermarché – supermarket
le supporter – supporter
le surf des neiges – snowboarding
surtout – especially
survoler – to fly over
sympa – nice
le système métrique – metric system

T

tacheté(e) – spotted
la taille – height, size, waist
le tambour – drum
la tante – aunt
la tapisserie – tapestry
tard – late
tarder – to delay
la tarte – tart
la tartine – bread and butter (or jam)
la tasse – cup
le taxi – taxi
le tee-shirt – T-shirt
la télé – television, TV
le téléphone – (tele)phone
téléphoner – to (tele)phone
tellement – so
le temps – time, weather
le tennis – tennis
la tente – tent
le terrain de golf – golf course
le terrain de jeux – playground
la terre – earth
la tête – head
le thé – tea
le théâtre – theatre
le thermomètre – thermometer
timide – shy

la timbre – stamp
le tir à l'arc – archery
la tisane – herb tea
faire sa toilette – to get washed
la tomate – tomato
tomber – to fall
tondre le gazon – to mow the lawn
tôt – early
toucher – to touch
toujours – always
la tour – tower
le tour – turn, trip
le tourisme – tourism
le(la) touriste – tourist
touristique – tourist (adj)
la tournée – round
la tourte – pie
tout(e) – all
tout de suite – at once
le train – train
le train à vapeur – steam train
traîner – to hang out
le transport – transport
le trajet – journey
tranquille – quiet
travailler – to work
travailler à son compte – to be self-employed
à travers – through
traverser – to cross
très – very
tricher – to cheat
le troglodyte – cave dweller
le trône – throne
trop – too
trop de – too much, too many
tropical(e) – tropical
trouver – to find
la truffe – truffle
le tube – tube
tuer – to kill
le tunnel – tunnel

U

un uniforme – uniform
une université – university

V

les vacances (*f*) – holidays
faire la vaisselle – to do the washing up
le valet – servant
le veau – veal
végétarien(ne) – vegetarian
le véhicule – vehicle

le vélo – bicycle
le vendeur, la vendeuse – shop assistant
vendre – to sell
vendredi – Friday
venir – to come
le vent – wind
vérifier – to check
le verre – glass
vers – towards
verser – to pour
vert(e) – green
les vêtements (*m*) – clothes
la viande – meat
vide – empty
la vidéo – video
la vie – life
le vignoble – vineyard
le village – village
la ville – town
le vin – wine
vinicole – wine-producing
le visage – face
la visite – visit
visiter – to visit
la vitamine – vitamin
vite – quick, quickly
vivre – to live
voir – to see
la voile – sailing
voilé(e) – veiled
le voisin, la voisine – neighbour
la voiture – car
le volley – volleyball
les Vosges (*f*) – Vosges (Mountains)
vouloir – to want
voyager – to travel
le voyageur, la voyageuse – traveller, passenger
vrai(e) – true
le VTT – mountain biking
la vue – view, sight

W

le week-end – weekend

Y

le yaourt – yoghurt
les yeux (*m*) – eyes

Z

le zèbre – zebra
le zoo – zoo

Vocabulaire anglais–français

Starred words are verbs. The French translations are given in the infinitive and the part participle: **ajouter/ajouté**. If a verb takes **être** in the perfect and the past participle agrees with the subject, this is shown as follows: **aller/allé(e)**. To indicate the gender (masculine/feminine) of French nowns, the definite article (**le/la**) is usually given, but for those which begin with a vowel the indefinite article (**un/une**) is given where appropriate.

A
* to be able to – pouvoir/pu
absent – absent(e)
according to – selon
afternoon – un après-midi
again – encore
against – contre
all – tout(e)
already – déjà
always – toujours
among – parmi
animal – un animal
annoy – énerver/énervé
around – autour de
arm – le bras
* to arrive – arriver/arrivé(e)
* to ask – demander/demandé
average – moyen(ne)
to avoid – éviter/évité

B
back – le dos
bag – le sac
ball – le ballon
bank – la banque
bar – le bar
bathroom – la salle des bains
beautiful – beau(belle)
to be – être/été
because – parce que
to become – devenir/ devenu(e)
bed – le lit
bedroom – la chambre
beer – la bière
before – avant de
* to believe – croire/cru
better – meilleur(e)
bicycle – le vélo
bird – un oiseau
biscuit – le biscuit
black – noir(e)
blond – blond(e)
* to blow – souffler/soufflé
blue – bleu(e)
boat – le bateau
body – le corps
bone – un os
born – né(e)
to be born – naître/né(e)

bottle – la bouteille
box – la boîte
boy – le garçon
bread – le pain
* to break – casser/cassé
* to breathe – respirer/respiré
bridge – le pont
brother – le frère
brown – châtain, marron
* to burst out laughing – éclater de rire
bus – le bus
butter – le beurre
* to buy – acheter/acheté

C
café – le café
cage – la cage
cake – le gateau
* to be called – s'appeler
car – la voiture
car park – le parking
card – la carte
* to carry – porter/porté
cat – le chat
cheap – bon marché
cheese – le fromage
chicken – le poulet
child – un enfant
chips – les frites (f)
chocolate – le chocolat
to choose – choisir/choisi
class – la classe
* to clean – nettoyer/nettoyé
* to close – fermer/fermé
clothes – les vêtements (m)
coach – le car
cold – froid(e)
* to comb one's hair – se peigner/peigné(e)
* to come – venir/venu(e)
* to complain – se plaindre/plaint(e)
* to cost – coûter/coûté
country(side) – la campagne
courtyard – la cour
cousin – le cousin/la cousine
covered – couvert(e)
* to cry – pleurer/pleuré

cup – la tasse

D
danger – le danger
dangerous – dangereux(euse)
date – la date
day – le jour, la journée
dear – cher(ère)
* to decide – décider/décidé
* to die – mourir/mort(e)
dining room – la salle à manger
* to have dinner – dîner/dîné
* to disappear – disparaître/ disparu
* to discover – découvrir/ découvert
* to dive – plonger/plongé
* to do – faire/fait
doctor – le médecin
dog – le chien
* to draw – dessiner/dessiné
dress – la robe
drink – la boisson
*to drink – boire/bu
dry – sec(sèche)

E
each – chaque
early – tôt
* to earn – gagner/gagné
earth – la terre
easy – facile
* to eat – manger/mangé
empty – vide
enough – assez
especially – surtout
evening – le soir, la soirée
every – chaque
everywhere – partout
except – sauf
exit – la sortie
expensive – cher(ère)
eyes – les yeux (m)

F
face – la figure, le visage
* to fall – tomber/tombé(e)
family – la famille
far – loin

fashion – la mode
fat – gros(se)
father – le père
filled with – rempli(e) de
finger – le doigt de pied
* to finish – finir/fini
fire – le feu
first – premier(ère)
fish – le poisson
flat – plat(e)
flower – la fleur
fog – le brouillard
* to follow – suivre/suivi
food – la nourriture
foot – le pied
on foot – à pied
football – le foot
* to forget – oublier/oublié
fork – la fourchette
free – libre, (free of charge)
gratuit(e)
French – français(e)
Friday – vendredi
fridge – le frigo
friend – le copain/la
copine, un(e)
ami(e)
fruit – le fruit
full – plein(e)
* to have fun – s'amuser/amusé(e)

G
garage – le garage
garden – le jardin
gently – doucement
* to get dressed – s'habiller/
habillé(e)
* to get off – descendre/
descendu(e)
* to get on (with) – s'entendre/
entendu(e) (avec)
* to get up – se lever/levé(e)
* to get washed – faire/fait sa
toilette
girl – la fille
glass – le verre
* to go – aller/allé(e)
* to go down – descendre/
descendu(e)
* to go home – rentrer/
rentré(e)
* to go in – entrer/entré(e)
* to go out – sortir/sorti(e)
* to go to – se rendre/rendu(e)
à
* to go to bed – se coucher/
couché(e)
* to go up – monter/monté(e)
good – bon(ne)

green – vert(e)

H
hair – les cheveux (m)
ham – le jambon
hand – la main
hard – dur(e)
hardly – à peine
hat – le chapeau
* to hate – détester/détesté
* to have – avoir/eu
* to have to – devoir/dû
head – la tête
heavy – lourd(e)
* to help – aider/aidé
high – haut(e)
at home – à la maison
homework – les devoirs
(m)
horse – le cheval
hospital – un hôpital
hot – chaud(e)
hotel – un hôtel
hour – une heure
house – la maison
how much/how many –
combien
I am hungry – j'ai faim
* to hurt – faire/fait mal

I
ice – la glace
ice cream – la glace
ill – malade
instructions – le mode
d'emploi
* to invite – inviter/invité

J
job – un emploi
jumper – le pull, le pull-
over

K
* to kill – tuer/tué
kilo – le kilo
kind – gentil(le)
knee – le genou
knife – le couteau
* to knock over – renverser/
renversé
* to know – connaître/connu,
savoir/su

L
large – grand(e)
last – dernier(ère)
* to last – durer
late – en retard, tard

* to laugh – rire/ri
leaf – la feuille
* to leave – laisser/laissé
on the left – à gauche
leg – la jambe
lemon – le citron
less – moins
lesson – le cours, la leçon
letter – la lettre
life – la vie
light – la lampe
* to like – aimer/aimé
* to listen to – écouter/écouté
* to live – habiter/habité,
vivre/vécu
living room – le salon
long – long(ue)
for a long time – longtemps
* to look after – s'occuper/
occupé(e) de
* to look for – chercher/
cherché
* to lose – perdre/perdu
luggage – les bagages (m)
lunch – le déjeuner

M
man – un homme
map – la carte
market – le marché
meal – le repas
meat – la viande
midday – midi
middle – le milieu
milk – le lait
mirror – le miroir
Monday – lundi
money – l'argent (m)
moped – la mobylette
more – plus (de)
morning – le matin, la
matinée
mother – la mère
motorbike – la moto
motorway – une autoroute
mountain – la montagne
mouth – la bouche
* to move – bouger/bougé
museum – le musée

N
naked – nu(e)
narrow – étroit(e)
near – près de
* to be necessary – falloir/fallu
* to need – avoir/eu besoin de
never – ne ... jamais
newspaper – le journal
the next day – le lendemain

nice – sympa
night – la nuit
nobody – ne … personne
noise – le bruit
no longer – ne … plus
no-one – ne … personne
north – le nord
nose – le nez
nothing – ne … rien
not much/not many – peu de
nursery school – une école maternelle

O
office – le bureau
often – souvent
OK – d'accord
once a week – une fois par semaine
at once – tout de suite
only – seulement
open – ouvert(e)
other – autre
outdoors – en plein air
outside – dehors

P
park – le parc
part – la partie
* to pay – payer/payé
* to permit – permettre/permis
picture – une image
place – un endroit, le lieu
plane – un avion
plate – une assiette
* to play – jouer/joué
police – la police
post office – la poste
potato – la pomme de terre
* to pour – verser/versé
* to prefer – préférer/préféré
* to prepare – préparer/préparé
present – le cadeau
pretty – joli(e)
primary school – une école primaire
* to protect – protéger/protégé
* to protest – protester/protesté
public – public(ique)
* to put – mettre/mis

Q
quick, quickly – vite

R
race – la course
* it's raining – il pleut
* to raise – lever/levé

rather – plutôt
* to read – lire/lu
* to receive – recevoir/reçu
red – rouge
* to remember – se souvenir/souvenu(e) de
* to reply – répondre/répondu
* to rest – se reposer/reposé(e)
restaurant – le restaurant
* to return – retourner/retourné
rice – le riz
river – la fleuve, la rivière
road – la route
room – la pièce

S
salt – le sel
same – pareil(le)
* to say – dire/dit
school – (*primary*) une école, (*secondary*) un collège, un lycée
sea – la mer
* to see – voir/vu
* to seize – saisir/saisi
* to sell – vendre/vendu
several – plusieurs
* to share – partager/partagé
sheet – le drap
shirt – la chemise
shoe – la chaussure, le soulier
shop – la boutique, le magasin
short – court(e)
shoulder – une épaule
* to shout – pousser/poussé des cris
shower – la douche
* to feel sick – avoir/eu mal au coeur
side – le côté
since – depuis
* to sing – chanter/chanté
sister – la soeur
skin – la peau
skirt – la jupe
* to sleep – dormir/dormi
small – petit(e)
* to smell – sentir/senti
smile – le sourire
snow – la neige
so – tellement
soap – le savon
someone – quelqu'un
sometimes – quelquefois
soon – bientôt

* to have a
sore throat – avoir/eu mal à la gorge
south – le sud
in spite of – malgré
stamp – le timbre
standing – debout
station – la gare
* to stay – rester/resté(e)
stomach – un estomac
stone – la pierre
* to stop – arrêter/arrêté
story – une histoire
street – la rue
student – un(e) étudiant(e)
* to succeed – réussir/réussi
summer – l'été (*m*)
sun – le soleil
supermarket – le supermarché
sweet – le bonbon
* to swim – nager/nagé
swimming pool – la piscine

T
* to take – prendre/pris
* to taste – goûter/goûté
tea – le thé
teacher – le professeur, le prof
telephone – le téléphone
television – la télé
* to tell – raconter/raconté
then – alors, ensuite, puis
thing – la chose
* to think – penser/pensé
I'm thirsty – j'ai soif
throat – la gorge
Thursday – jeudi
* to tidy – ranger/rangé
tie – la cravate
tight – étroit(e)
time – le temps
tin (*of food*) – la boîte
on time – à l'heure
tired – fatigué(e)
today – aujourd'hui
toe – le doigt de pied
together – ensemble
tomorrow – demain
tongue – la langue
too – trop
too much/too many – trop de
tooth – la dent
* to touch – toucher/touché
towards – vers
town – la ville

* to travel – voyager/voyagé
tree – un arbre
(pair of) trousers – le pantalon
true – vrai(e)
* to try to – essayer/essayé de
Tuesday – mardi
TV – la télé
tyre – le pneu

U

underground – le métro
* to be used for – servir/servi à

W

* to wake up – se réveiller/réveillé(e)
* to walk – marcher/marché
wall – le mur
* to want – vouloir/voulu
* to wash – laver/lavé

* to wash oneself – se laver/lavé(e)
* to do the washing – faire/fait le linge
* to do the washing up – faire/fait la vaisselle
watch – la montre
* to watch – regarder/regardé
water – l'eau (f)
weak – faible
* to wear – porter/porté
weather – la météo, le temps
Wednesday – mercredi
to weigh – peser/pesé
well – bien
well-known – connu(e)
west – l'ouest (m)
which – quel(le)

white – blanc(he)
whole – entier(ère)
wide – large
wife – la femme
wind – le vent
window – la fenêtre
wine – le vin
winter – l'hiver (m)
with – avec
woman – la femme
wood – le bois
word – le mot
* to work – travailler/travaillé
world – le monde

Y

year – une année
yellow – jaune
yesterday – hier
young – jeune

Les instructions

Apprends par coeur	Learn by heart
Attention à la prononciation	Watch the pronunciation
Choisis	Choose
Coche les mots dans ta liste	Tick the words in your list
Commencez à tour de rôle	Take turns
Complète la grille	Complete the grid
Copie et complète	Copy and complete
Décris	Describe
Dessine	Draw/design
Devine	Guess
Ecoute	Listen
Ecoute et vérifie	Listen and check
Ecris	Write
Ecris des phrases/un résumé/un rapport	Write sentences/a summary/a report
Enregistre	Record
Fais correspondre les textes/mots et les photos/images	Match the texts/words to the photos/pictures
Fais une description/un portrait	Write a description
Fais une liste	Make a list
Interviewe ton/ta partenaire	Interview your partner
Jeu de rôles	Role-play
Lis	Read
Lis le texte	Read the text
Note les réponses/les mots	Note down the answers/words
Parle	Speak
Parlez à deux	Speak in pairs
Pose la question à ton/ta partenaire	Ask your partner
Prépare	Prepare
Remplace les mots soulignés	Replace the underlined words
Remplis la fiche	Fill in the sheet
Remplis les blancs	Fill in the missing word
Répète	Repeat
Réponds aux questions	Answer the questions
Sondage (un)	A survey
Traduis en anglais	Translate into English
Travaille avec un(e) partenaire	Work with a partner
Trouve la/les bonnes images	Find the right picture(s)
Trouve la/les bonnes réponses	Find the right answer(s)
Tutoyer	Use the *tu* form
Vouvoyer	Use the *vous* form